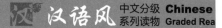

chényú luòyàn

沉鱼落雁

Beauty and Grace

主　编　刘月华（Yuehua Liu）　　储诚志（Chengzhi Chu）
副主编　赵绍玲（Shaoling Zhao）
原　创　李延风（Yanfeng Li）

北京大学出版社
PEKING UNIVERSITY PRESS

图书在版编目(CIP)数据

沉鱼落雁/刘月华，储诚志主编. 一北京：北京大学出版社，2018.4

(汉语风中文分级系列读物)

ISBN 978-7-301-29417-8

Ⅰ.① 沉… Ⅱ.① 刘… ②储… Ⅲ.①汉语—对外汉语教学—语言读物 Ⅳ.①H195.5

中国版本图书馆CIP数据核字(2018)第057130号

书　　　名	沉鱼落雁
著作责任者	刘月华　储诚志　主　编
	赵绍玲　副主编
	李延风　原　创
责 任 编 辑	何杰杰　邓晓霞
标 准 书 号	ISBN 978-7-301-29417-8
出 版 发 行	北京大学出版社
地　　　址	北京市海淀区成府路205号　100871
网　　　址	http://www.pup.cn　　新浪微博:@北京大学出版社
电 子 信 箱	zpup@pup.cn
电　　　话	邮购部 62752015　发行部 62750672　编辑部 62752028
印 刷 者	三河市北燕印装有限公司
经 销 者	新华书店
	850毫米×1168毫米　32开本　3.5印张　54千字
	2018年4月第1版　2018年4月第1次印刷
定　　　价	20.00元

刘月华

毕业于北京大学中文系。原为北京语言学院教授，1989年赴美，先后在卫斯理学院、麻省理工学院、哈佛大学教授中文。主要从事现代汉语语法，特别是对外汉语教学语法研究。近年编写了多部对外汉语教材。主要著作有《实用现代汉语语法》（合作）、《趋向补语通释》《汉语语法论集》等，对外汉语教材有《中文听说读写》（主编）、《走进中国百姓生活——中高级汉语视听说教程》（合作）等。

储诚志

夏威夷大学博士，美国中文教师学会前任会长，加州大学戴维斯分校中文部主任，语言学系博士生导师。兼任多所大学的客座教授或特聘教授，多家学术期刊编委。曾在北京语言大学和斯坦福大学任教多年。

赵绍玲

笔名向娅，中国记者协会会员，中国作家协会会员。主要作品有报告文学集《二十四人的性爱世界》《国际航线上的中国空姐》《国际航线上的奇闻秘事》等，电视艺术片《凝固的情感》《希望之光》等。多部作品被改编成广播剧、电影、电视连续剧，获各类奖项多次。

李延风

　　美国夏威夷大学东亚语言文学博士(中国文学专业),上海作家协会会员。获2015年"禾泽都林杯"全国散文赛第二名。散文和短篇小说见于《上海文学》《文汇报》等。著有《远山古道——秦岭行走笔记》(商务印书馆,2017)及长篇小说《永远的夏天》(read.douban.com/column/1663582)。曾任教于美国宾夕法尼亚大学及上海华东师范大学,现专职从事写作。

Yuehua Liu

A graduate of the Chinese Department of Peking University, Yuehua Liu was Professor in Chinese at the Beijing Language and Culture University. In 1989, she continued her professional career in the United States and had taught Chinese at Wellesley College, MIT, and Harvard University for many years. Her research concentrated on modern Chinese grammar, especially grammar for teaching Chinese as a foreign language. Her major publications include *Practical Modern Chinese Grammar* (co-author), *Comprehensive Studies of Chinese Directional Complements*, and *Writings on Chinese Grammar* as well as the Chinese textbook series *Integrated Chinese* (chief editor) and the audio-video textbook set *Learning Advanced Colloquial Chinese from TV* (co-author).

Chengzhi Chu

Chu is associate professor and coordinator of the Chinese Language Program at the University of California, Davis, where he also serves on the Graduate Faculty of Linguistics. He is the former president of the Chinese Language Teachers Association, USA, and guest professor or honorable professor of several other universities. Chu received his Ph.D. from the University of Hawaii. He had taught at the Beijing Language and Culture University and Stanford University for many years before joining UC Davis.

Shaoling Zhao

With Xiangya as her pen name, Shaoling Zhao is an award-winning Chinese writer. She is a member of the All-China Writers Association and the All-China Journalists Association. She authored many influential reportages and television play and film scripts, including *Hostesses on International Airlines*, *Concretionary Affection*, and *The Silver Lining*.

Yanfeng Li

Ph.D. in East Asia Language and Literature with Chinese literature focus, University of Hawaii. Member of Shanghai Writers' Association, second prize winner of the 2015 Hezedulin Cup National Prose Writing Award. Short stories and literary essays appeared on journals and newspapers including *Shanghai Literature Monthly* and *Wenhui Daily*. Books written include *Distant Hills and Ancient Trails — Notes from Walking in Qinling Mountains* (Commercial Press, 2017), and novel *Summer Forever* (read.douban.com/column/1663582). Dr. Li taught Chinese language at the University of Pennsylvania, and Chinese literature at East China Normal University in Shanghai before dedicating most of his time in writing.

前　言

　　学一种语言,只凭一套教科书,只靠课堂的时间,是远远地不够的。因为记忆会不断地经受时间的冲刷,学过的会不断地遗忘。学外语的人,不是经常会因为记不住生词而苦恼吗? 一个词学过了,很快就忘了,下次遇到了,只好查词典,这时你才知道已经学过。可是不久,你又遇到这个词,好像又是初次见面,你只好再查词典。查过之后,你会怨自己:脑子怎么这么差,这个词怎么老也记不住! 其实,并不是你的脑子差,而是学过的东西时间久了,在你的脑子中变成了沉睡的记忆,要想不忘,就需要经常唤醒它,激活它。"汉语风"分级读物,就是为此而编写的。

　　为了"激活记忆",学外语的人都有自己的一套办法。比如有的人做生词卡,有的人做生词本,经常翻看复习。还有肯下苦功夫的人,干脆背词典,从A部第一个词背到Z部最后一个词。这种做法也许精神可嘉,但是不仅过程痛苦,效果也不一定理想。"汉语风"分级读物,是专业作家专门为"汉语风"写作的,每一本读物不仅涵盖相应等级的全部词汇、语法现象,而且故事有趣,情节吸引人。它使你在享受阅读愉悦的同时,轻松地达到了温故知新的目的。如果你在学习汉语的过程中,经常以"汉语风"为伴,相信你不仅不会为忘记学过的词汇、语法而烦恼,还会逐渐培养出汉语语感,使汉语在你的头脑中牢牢生根。

　　"汉语风"的部分读物出版前曾在华盛顿大学(西雅图)、范德堡大学和加州大学戴维斯分校的六十多位学生中试用。感谢这三所大学的毕念平老师、刘宪民老师和魏苹老师的热心组织和学生们的积极参与。夏威夷大学的姚道中教授、加州大学戴维斯分校的李宇以及博士生 Ann Kelleher 和 Nicole Richardson 对部分读物的初稿提供了一些很好的编辑意见,在此一并表示感谢。

Foreword

When it comes to learning a foreign language, relying on a set of textbooks or spending time in the classroom is not nearly enough. Memory is eroded by time; you keep forgetting what you have learned. Haven't we all been frustrated by our inability to remember new vocabulary? You learn a word and quickly forget it, so next time when you come across it you have to look it up in a dictionary. Only then do you realize that you used to know it, and you start to blame yourself, "why am I so forgetful?" when in fact, it's not your shaky memory that's at fault, but the fact that unless you review constantly, what you've learned quickly becomes dormant. The *Chinese Breeze* graded series is designed specially to help you remember what you've learned.

Everyone learning a second language has his or her way of jogging his or her memory. For example, some people make index cards or vocabulary notebooks so as to thumb through them frequently. Some simply try to go through dictionaries and try to memorize all the vocabulary items from A to Z. This spirit is laudable, but it is a painful process, and the results are far from sure. *Chinese Breeze* is a series of graded readers purposely written by professional authors. Each reader not only incorporates all the vocabulary and grammar specific to the grade but also contains an interesting and absorbing plot. They enable you to refresh and reinforce your knowledge and at the same time have a pleasurable time with the story. If you make *Chinese Breeze* a constant companion in your studies of Chinese, you won't have to worry about forgetting your vocabulary and grammar. You will also develop your feel for the language and root it firmly in your mind.

Thanks are due to Nyan-ping Bi, Xianmin Liu, and Ping Wei for arranging more than sixty students to field-test several of the readers in the *Chinese Breeze* series. Professor Tao-chung Yao at the University of Hawaii. Ms. Yu Li and Ph.D. students Ann Kelleher and Nicole Richardson of UC Davis provided very good editorial suggestions. We thank our colleagues, students, and friends for their support and assistance.

主要人物和地方名称
Main Characters and Main Places

我 Wǒ

IT engineer

立新 Lìxīn

My high school classmate

小云 Xiǎoyún

Lixin's wife

沉鱼 Chényú

A female fishmonger in a fresh market

王春雁(王春燕) Wáng Chūnyàn

A college girl adopted by American parents, on her first
trip to China working as an intern in a Shanghai company

亮亮(张有亮) Liàngliang (Zhāng Yǒuliàng)
Chenyu's son

芳芳 Fāngfang
Chenyu's best friend back home

上海 Shànghǎi: Shanghai
江西省 Jiāngxī Shěng: Jiangxi province
南昌 Nánchāng: Nanchang, capital of Jiangxi province

文中所有专有名词下面有下画线，比如：上海
(All the proper nouns in the text are underlined, such as in 上海)

目　录
Contents

1. 从买鱼开始的故事

　　我是做IT[1]的，在一个网络公司工作。公司在上海市中心，但我在离市中心比较远的地方租了一个小公寓，因为这里的房子便宜。以前没有地铁的时候，我每天从家里到公司得花一个半小时，现在有了地铁，四十五分钟就够了。可是现在公司却不需要我每天去办公室工作了，因为通过网络，同事和领导什么时候都可以跟我谈工作，就像站在我的对面。而且现在在网上买东西也很方便，所以我不常出去，但吃的东西我还是喜欢自己出去买。下了楼往地铁站[2]方向走，有个大超市。往另一个方向走，有个菜市场[3]，里面有很多小摊[4]，卖东西的人都是农村来的，他们卖的菜都很新鲜，

1. IT: Internet Technology
2. 地铁站 dìtiězhàn: subway station
3. 菜市场 càishìchǎng: fresh market; farmers' market
4. 小摊 xiǎo tān: small stand as in a flee market（摊 tān: vender's stand）

也比较便宜。除了菜，那儿还可以买到很多别的吃的东西。在菜市场³里买菜，回去以后常常还得自己洗，有点麻烦。地铁站²旁边的大超市就在我回家的路上，里面卖的菜都是洗干净的，对我这个不喜欢做饭的男人最合适。可是我也不知道为什么总是喜欢去那个菜市场³买东西。也许是因为菜市场³给我一种不在上海的感觉。人的感觉很奇怪，以前我在农村的时候，想离开农村去大城市，但现在我在上海工作了，又有点儿想离开这儿。我觉得在上海每天的生活都一样，每天都得花很多时间在电脑上工作，越来越觉得这儿是一个工作的地方，不是我的家。

我住的地方有三个大的小区⁵，菜市场³在三个小区⁵的中间，是个非常大的房子，看起来比较旧，以前是个看电影的地方。外面的街上有很多小饭馆和商店，还有修理⁶自行车的小摊⁴，等等。一到晚上和周末，这儿就有很多人，十分热闹。

5. 小区 xiǎoqū: a residential complex
6. 修理 xiūlǐ: to repair

我有个好朋友叫立新，他没结婚的时候常来我这儿玩。他一来我们就去菜市场³外面的街上找个小饭馆吃饭。我们要几瓶啤酒，几个菜，一边吃，一边聊天，一边看着外面街上的人，听着他们说话的声音，就觉得世界很真实⁷。平常要是我自己来这儿，吃完饭以后会去买一条鱼。网上有人说，做IT¹工作的人应该多吃鱼，吃鱼可以变聪明。有一次立新跟我吃完饭，也一起去买鱼。卖鱼的是个三十岁左右的女人。立新一看见那个女人，眼睛就亮了一下，小声对我说："她的鱼一定比别人的贵，你一点也不聪明!"立新这样说，是因为那个女人挺漂亮的。然后他拿出手机，走到旁边。那个女人给我鱼的时候，他用手机照了一张照片。

立新是我的中学同学。上大学以后我学数学专业，然后又学了电脑专业。立新学中文专业，后来在一个文化公司工作。去年他结婚了，我还是一个人。过年我回家的时候，父母就

5

10

15

20

---

7. 真实 zhēnshí: real; realistic

3

总是说我不如立新，连个女朋友都没
有。可是立新却对我说，结婚的事不
要着急，因为结婚了就不自由了。他
说以前他没结婚的时候，可以经常来
5 我这儿，现在要在家里陪妻子。他还
说要是我也结婚了，他就更不能来找
我玩了。

　　以前在网上聊天的时候，立新的
第一句话是"吃了吗"，那次我们一起
10 买鱼以后，他就开始说"吃鱼了吗"
或者"买鱼了吗"，他还把那张照片放

在网上。照片上那个女人给我鱼的时候，带着甜甜的微笑[8]看着我，好像很喜欢我的样子。其实我去那儿买鱼并不是因为她好看。去年那儿只有她一个人卖鱼，我常去，她就认识我了。后来她的旁边又多了好几个卖鱼的小摊[4]。那些卖鱼的见了我总是大声叫："来买我的鱼吧!"她从来不叫我，见我走过来只是对我笑笑，我就更不好意思不买她的东西了。不管怎么样，那个卖鱼女人让我和立新有话说。我本来话就不多，做了电脑工作以后话就更少了。我的世界就是屏幕[9]，我在办公室和家里看电脑的大屏幕[9]，在地铁上看手机的小屏幕[9]。在上海，除了菜市场[3]，别的地方对我来说都像屏幕[9]一样，不太真实[7]。

　　有一天立新说，那个女人为什么卖鱼呢？一身鱼的味道，你去跟她说让她卖水果吧，这样你可以多吃点水果，我也可以给她一个好听的名字，叫"水果西施[10]"。叫"鱼西施[10]"不

8. 微笑 wēixiào: to smile
9. 屏幕 píngmù: screen
10. 西施 Xīshī: Xishi, a beautiful woman in the Warring States period

太好听，谁听说过漂亮的女人跟鱼有关系？我忽然想到"沉鱼落雁"这个词，就发了过去。<u>立新</u>立刻给我发来了一个眼睛又大又圆的表情[11]，说："真没想到，你还知道这样的成语[12]！"他又说，"那我考考你，'沉鱼落雁'是什么意思？"我说："大概两千三百年前，有个很漂亮的女人叫<u>西施</u>[10]，她在河里洗衣服。河里的鱼看见她，因为她太漂亮了，就忘记了游，沉到很深的水里；还有另一个漂亮女人叫<u>王昭君</u>[13]，天上飞的大雁[14]看到她，因为她太漂亮了，就忘记了飞，从天上落了下来。所以人们就用"沉鱼落雁"来说一个女人非常漂亮。"<u>立新</u>说："你回答得不错，看来你知道的还挺多。"

当然，也有人说"沉鱼落雁"并不是说漂亮女人的。有一次我跟一些人坐车去旅游，那个导游很有意思。一天早上我们刚上车，导游就说："今

---

11. 表情 biǎoqíng: emoji; facial expression
12. 成语 chéngyǔ: idiom
13. 王昭君 Wáng Zhāojūn: Wang Zhaojun, an ignored royal concubine adopted by the emperor and married off to a Mongol King, famous for her beauty
14. 大雁 dàyàn: wild goose

天我们在山里旅游，大家可以自由活动。请不要一个人走，最好找别人一起。对了，我先给你们讲讲成语[12]吧。你们知道为什么成语[12]不容易懂吗？因为成语[12]是很久以前的人写的，那个时候写字用毛笔[15]，写一个字很麻烦，而且那个时候纸也很少，所以要把话写得很短。车上的人都知道成语不是这么来的，知道导游在开

5

15. 毛笔 máobǐ: writing brush

玩笑，就都笑了起来。导游又对车上的一个女孩说："其实'沉鱼落雁'这个成语[12]有问题。要是有人说你沉鱼落雁，你可别相信他是说你漂亮，因
5　为每个人走到水边，鱼都会害怕，会赶快沉到水里去。鱼不喜欢人，在鱼的眼里，每个人都是坏人[16]，都不漂亮，因为他们都吃鱼。"车里又是大家的笑声。那个时候我就想到那个卖鱼
10　的女人。

后来立新说，根据他的了解，那个导游说的沉鱼的故事，是从一本很久以前的书里来的。从那以后，立新和我就把那个卖鱼的女人叫沉鱼了。

Want to check your understanding of this part?
Go to the questions on page 76.

16. 坏人 huài rén: bad people

2. 公司里新来的女大学生

一个星期一的上午，我去菜市场[3]买菜，人不多。我看见沉鱼正在跟一个卖首饰[17]的人说话，旁边还放着一个很小的电脑。沉鱼的鱼店[18]跟别的卖鱼的小摊[4]不一样，她的鱼都是洗干净的，放在很矮的冰箱里，那些冰箱的门在上面，可以拉开。好几个矮冰箱放在一起，像商店里的柜台，所以沉鱼的鱼店[18]很干净，在菜市场[3]里看起来很特别。卖首饰[17]的人是一个年轻的男人，他把一个很大的包放在冰箱上，里面有很多首饰[17]和女人用的东西。沉鱼拿了两个耳环[19]戴上，一边笑着问他怎么样，那个人说，很好，很好！看见我来了，沉鱼有点不好意思，取下耳环[19]要还给那个人。我赶快说别急，我今天不买鱼。我又说那

5

10

15

---

17. 首饰 shǒushì: jewelry
18. 店 diàn: store
19. 耳环 ěrhuán: earring

两个耳环¹⁹真好看。她就又戴了起来，给了卖首饰¹⁷的人钱。

"你今天不工作吗？"她说。

"我是电脑公司的，有的时候在家工作。"我说。

"那，你能帮我看看我的电脑吗？不知道为什么常常有问题，不能用。"

我看了看电脑，它的屏幕⁹上是一张照片，照片上近的地方是很大一片黄色的油菜²⁰花，非常漂亮。远的

20. 油菜 yóucài: young rape seed plant as a vegetable

地方是一些山，山上有一个村子[21]，房子的上面都是黑色的，墙是白色的。一个老奶奶抱着一个小孩站在村子[21]外面。沉鱼说："这个村子[21]是我的家，在江西省。我们那儿的风景好看吧?"我说："好看，这个地方真好看，从这个地方来的人也好看。"我说话的时候没敢看她的眼睛，只看见她的两个耳环[19]在轻轻地动着。

第二天我到办公室的时候，公司的小张带着一个女孩来找我，说她是上海一个大学的美国留学生，中文名字叫王春燕，要来我们公司工作五个月，公司让我来帮她。她长得像是中国人，所以我说你爸爸妈妈是中国人吧，她说是美国人。她看到我跟小张有点不明白，就说："我是小时候被美国的爸爸妈妈从中国收养[22]的。"我和小张说了声"哦"，然后就不知道应该说什么。我们的样子都被她看见了，她对我们笑笑，可能是已经见过很多这样的情形。那天她穿着面试[23]时穿

21. 村子 cūnzi: village
22. 收养 shōuyǎng: to adopt
23. 面试 miànshì: interview

的衣服，上面是蓝色的衬衫，下面是黑色的短裙子。立新知道我有了这个学生的时候，又来了兴趣，开玩笑说："你现在是不但有鱼，还有雁，沉
5 鱼和落雁你都有了啊！"

春燕是来了解网络和数据库[24]的，还要写一个报告。她在美国学过两年汉语，但是汉语说得还是不太好，所以我们有时候说汉语，有时候
10 说英语。我的英语不太好，但也能说一点。不久以后，她的汉语好了一点，我的英语也好了一点。她除了工作，还帮我做一些别的事，比如给沉鱼修理[6]电脑。每天大部分时间她都坐
15 在我旁边，看着电脑上的数据库[24]。这个房间里除了我们用的电脑，还有几个有数据库[24]的大电脑。这些大电脑每天二十四小时都开着，信息像蜜蜂[25]一样，飞进来，飞出去。一般人只知
20 道看网上的信息，不知道那些信息都是从这样的数据库[24]里来的。谁在网上买了一张音乐会的票，谁发了一个电子邮件，谁在网上聊天，这些数据

24. 数据库 shùjùkù: database
25. 蜜蜂 mìfēng: bee

库[24]都知道。蜜蜂[25]在山里飞,它们的家挂在一个树上,它们总能找到那个树和那个家。在空气里飞的那些信息,也都能找到它们要去的地方。春燕有两个家,一个是美国那个家,一个是中国那个不知道在哪里的家。我想知道春燕的感觉——她觉得自己是从中国来的,还是从美国来的?

春燕看着沉鱼电脑上的油菜[20]花照片,说这个地方真漂亮,是哪儿?我说是江西,她就说她也是江西人。我一直不好意思问她收养[22]的事,但春燕好像觉得没关系。她告诉我她一岁多的时候,美国父母在江西省 南昌

市的一个儿童福利院里见到她，把她带到了美国。今年她二十岁，这是她第一次来中国。她告诉我，美国有很多从中国收养[22]的儿童，他们有时候会一起活动。她给我看了她美国家的照片，一个大房子，门前有草，有树。在一张照片里，她在自己的卧室抱着一只猫，墙上有很多明星的照片，窗户的下面有个白色的钢琴。她说她打算去南昌那个儿童福利院看看。她还问我，她的名字Chunyan里面那个yan是不是这个"燕[26]"字，因为她离开那个儿童福利院时，她的名字只有Chunyan，没有汉字。我说名字里的yan可能是"燕[26]"，也可能是"雁[14]"，它们都是春天能见到的鸟。她问我这两种鸟有什么不一样，我说，燕子是住在人家里的，大雁[14]却飞得很远，还可能飞到别的国家。我还给她讲了成语[12]"沉鱼落雁"中王昭君[13]的故事。

王昭君[13]是两千多年前一个皇帝[27]的妻子。因为皇帝[27]的妻子太多，所

26. 燕 yàn: swallow
27. 皇帝 huángdì: emperor

以他没时间见到每一个，就让一个会画画的人给每个妻子画一张画。皇帝[27]如果觉得画上的人漂亮，就会见她。那个画画的人很坏，谁给他钱，他就把谁画得漂亮一点，要是不给他钱，他就把她画得不好看。因为王昭君[13]没有给他钱，所以虽然她非常漂亮，那个画画的人却把她画得不好看，皇帝[27]也就从来没有见过王昭君。后来一个外国的皇帝[27]来到中国，想跟中国皇帝[27]的女儿结婚，皇帝[27]就把王昭君[13]收养[22]成自己的女儿，再让她跟那个外国皇帝[27]结婚。王昭君[13]离开的时候，皇帝[27]才发现原来她非常漂亮。皇帝[27]知道了那个画画的人很坏，非常生气，就把他杀[28]死了。

春燕说，这个故事真有意思。王昭君[13]后来到了别的国家生活，这和我有点像，我的名字就用"大雁[14]"的"雁"吧。所以她把自己的中文名字改成了"春雁"。

Want to check your understanding of this part?
Go to the questions on page 77.

28. 杀 shā: to kill

3. 这种茶只给最好的朋友喝

　　我给沉鱼打电话说电脑修好了，沉鱼请我到一个茶馆²⁹里去喝茶聊天。那个茶馆²⁹很漂亮，在那儿既可以喝茶，也可以买茶。我知道以前中
5　国有很多茶馆²⁹，人们在里面聊天，认识朋友。可是现在，在上海，茶馆²⁹好像不多了。

　　茶馆²⁹的服务员请我和沉鱼坐在一个小房间里。那儿的桌子是用一个
10　特别大的树根³⁰做成的，非常艺术，上面放着一个很漂亮的茶壶³¹，六个杯子，都很小。还有放着茶的小碗，木头³²做的勺子³³、筷子，很安静。沉鱼穿着好看的衣服，跟在菜市场³里很
15　不一样。我把电脑给了她。

　　沉鱼说："一定很麻烦吧，谢谢

29. 茶馆 cháguǎn: tea house
30. 树根 shùgēn: root of a tree
31. 茶壶 cháhú: teapot
32. 木头 mùtou: wood; log
33. 勺子 sháozi: spoon

你。"她还要给我钱。

我说："不用了，你的电脑问题不大，只是用的时间长了，有一些细小[34]的脏东西进到了里面，对电脑有影响。把它们弄干净就好了。对了，我听说茶可以打扫身体里的脏东西，你请我喝茶，让我变得健康，我也要谢谢你。"

沉鱼说："喝茶确实对身体好。但是你也应该知道怎么喝。茶不能喝太多，不要在吃饭的时候喝，也不要在晚上睡觉前喝。"然后她问我平常什么时候喝茶，怎么喝茶。

"我渴的时候或者累的时候喝茶。我是把茶放在一个大杯子里喝的。"

"最好不要用太大的杯子喝茶，因为茶在水里时间太长，味道会变苦。所以喝茶的时候，最好是用一个小茶壶[31]。喝好茶和喝好酒一样，只能用很小的杯子，而且要慢慢喝。喝好茶的人不是因为渴了才喝的，而是[35]喜欢茶的味道。"沉鱼说，"我今天要

34. 细小 xìxiǎo: small and tiny
35. 而是 érshì: but is

17

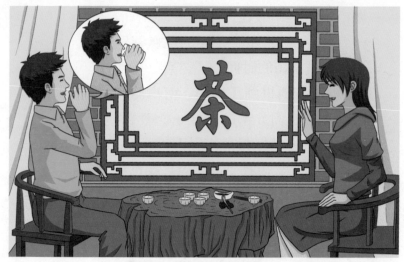

请你喝一种非常好的茶。"

　　她拿出一小包茶，说这种茶叫
"三清云雾茶³⁶"，是她家附近的三清
山³⁷里的。沉鱼拿起桌子上的茶壶³¹，
5　让我看她怎么泡茶³⁸。沉鱼泡茶³⁸的样
子很好看，连茶馆²⁹里卖茶的人也在
那边看着她。

　　我问她什么茶是好茶，她说，山
上的茶比较好。我说："听说茶是长在
10　树上的，你收茶的时候要爬³⁹到树上

36. 三清云雾茶 Sānqīng Yúnwù Chá: Three Clarity Misty Tea, a kind of tea pro-
duced in the Three-Clarity Mountain area in Jiangxi Province
37. 三清山 Sānqīng Shān: Three Clarities or Purities, a Daoist religious term,
meaning the Jade Clarity, the Superior Clarity, and the Extreme Clarity. In
this story, it is interpreted as clarity of the sky, earth and mind.
38. 泡茶 pào chá: to make or brew tea
39. 爬 pá: to climb

去吗?"沉鱼一笑说:"茶树很矮。有的还没有一个人高,所以收茶的时候不用爬³⁹到树上。我不会爬³⁹树,但我会爬³⁹山。我们那儿的三清山³⁷很有名。如果爬³⁹三清山³⁷,你可能还没有我爬³⁹得快。" 5

"三清山³⁷的'三清'是什么意思?"我说。

"天清,地清和心清——就是天很干净,地很干净,人的心里也很干净。" 10

我说我在上海天也不清,地也不清,心也不清。沉鱼说:"啊,那你真应该多喝我的三清茶了!"

我拿起小杯子喝沉鱼泡的茶,味 15
道真的很特别。我想起了我和立新喝酒的样子,就对沉鱼说,有一句有名的话,叫"酒逢知己千杯少⁴⁰"。意思是,要是你跟好朋友一起喝酒,喝一千杯也不觉得多。沉鱼笑着说,我家 20
那里也有一句有名的话,叫"茶遇……一壶足",可是我忘了中间那两个字是什么了。沉鱼说这话的时候,脸

---

40. 酒逢知己千杯少 Jiǔ féng zhījǐ qiān bēi shǎo: Meeting a true friend over wine, even a thousand cups are too few.

好像红了一下。我说，那我来帮你想吧，"知己"这个词怎么样？知己就是好朋友的意思。沉鱼说："'酒逢知己千杯少⁴⁰'那句话里，已经有'知己'这个词了，你能想出另一个吗？"我又想了几个，可是觉得都不太好。后来沉鱼说，你觉得"良朋"怎么样，也是好朋友的意思。我念了一遍"茶遇良朋一壶足⁴¹"，然后问沉鱼，为什么说一壶就够了？她说："因为当你喝完壶里的茶的时候，不用再给壶里放新茶，只要给壶里加水就行了。你听过另一句有名的话吧，'君子之交淡如水⁴²'，是说君子之间的关系就像水一样简单。"我说："'酒逢知己千杯少⁴⁰'和'君子之交淡如水⁴²'我都听过，今天才知道还有一句'茶遇良朋一壶足⁴¹'，真是太有意思了。"

　　"你一个人这么远来上海工作，觉得上海好吗？"我问沉鱼。

　　"挺好。"

---

41. 茶遇良朋一壶足 Chá yù liáng péng yì hú zú: Meeting a close friend over tea, a single pot suffices.

42. 君子之交淡如水 Jūnzǐ zhī jiāo dàn rú shuǐ: The friendship between true gentlemen is as bland as water.

　　"但是上海没有你的家人和朋友。"

　　"每天有很多买鱼的人跟我聊天。"

　　"可是买鱼的人不是朋友。"

　　"在我家的村子²¹里也没有很多人可以说话，因为人们都去城市工作了。我在上海没有朋友，这没关系。我只想能在上海成功⁴³，让我的孩子来这儿上学。虽然上海不是一个让我觉得轻松的地方，在这儿工作和生活都很不容易，但是我不是怕困难的人，所以我觉得上海挺好。你呢？你

5

10

43. 成功 chénggōng: to succeed; success

喜欢上海吗？"

"我想离开这儿。"我说

"到哪儿去？"沉鱼问我。

"……菜市场³。"

"那好啊，你来帮我卖鱼吧！"

我们喝完茶交钱的时候，茶馆²⁹的人笑着对沉鱼说："我的鼻子告诉我，你的茶是最好的三清云雾茶³⁶，这种茶只有江西有，你是江西人吗？如果你还有这种茶的话，请卖给我。"沉鱼一笑说："对不起，这茶我只有这一点，刚够一壶，'茶遇良朋一壶足⁴¹'！"

那天晚上我要请沉鱼去饭馆吃饭，沉鱼却说，到你住的地方去吃吧，我来做饭。她看我没有说话，就说："是不是因为你这单身汉的房子不太干净？"我心里想，不是"不太干净"，而是³⁵非常乱。因为我周末有时候帮别人修理⁶电脑，所以房子里有一些打开的电脑，还有很多屏幕⁹和修电脑用的东西。我的房子看起来还没有沉鱼的鱼店¹⁸整齐。但沉鱼已经这样说了，我只好请沉鱼去我那儿了。

我跟沉鱼在菜市场³买东西，我拿着一个大包跟着她走。她买的都是我没买过的菜，看起来很好吃，她还去店[18]里拿了一条大概有一公斤的鱼。到了我的公寓，她好像回到自己的家一样，叫我去洗菜，做米饭，她说她先去收拾客厅。等我洗完了早上和中午的碗，又洗好了菜，她也把客厅收拾完了。我一看，电脑一个一个全部靠着东面的墙，屏幕[9]全部靠着另一面墙。那些原来很乱地放在地上的东西，现在也都放好了。房间好像一下大了很多。

　　沉鱼在厨房里做鱼，我在她后面看。她的鱼做得非常好，很香。她说："你一定很会做鱼吧?"我说我不会，而且其实我也不喜欢吃鱼。沉鱼说："那你为什么还去我那儿买鱼?"我忽然觉得我刚才说得有点多了，就在沉鱼不注意的时候赶快走出了厨房。沉鱼以为我没听见她的问题。

　　那天是我来上海以后第一次坐在这么干净的家里吃饭。沉鱼坐在我对面，让我吃这个，吃那个，我却像客人一样觉得不好意思。我说："今天下午买菜的时候，我应该买一瓶酒，可是我忘了。要是有酒的话，我们就是

'酒逢知己千杯少[40]'了。"沉鱼说：
"没关系，我们有茶。还记得'茶遇良
朋一壶足[41]'吗？"我看着沉鱼，她也
看着我。以前她看我的时候，我不敢
看她，现在敢了。最后我们都拿起茶

5

杯，我说：“为你的成功[43]干杯！祝你的孩子能早点来到上海。”沉鱼说：“祝上海的天变清，地变清，你的心也变清。为你的‘三清’干杯！希望你能喜欢上海，不要离开。”两个茶杯轻轻一碰，像是亲吻[44]了一下。

5

Want to check your understanding of this part?
Go to the questions on page 78.

---

44. 亲吻 qīnwěn: to kiss

4. 去南昌找小时候的春雁

那天跟沉鱼喝茶和吃饭以后，心里常常想着沉鱼，我已经把她当成一个特别的朋友了。可是在办公室的时候，我又常常想着春雁，她就坐在我旁边，平常对着我前面的屏幕[9]，看不到她，但能看到她放在键盘[45]上的手指[46]。她白色的手指[46]在黑色的键盘[45]上很快地跳着。时间长了，我就觉得她是坐在我旁边弹[47]钢琴。如果在女人的手指[46]下，电脑变成了乐器，没有意思[48]的IT[1]工作能变成钢琴的音乐，那这个工作真应该让女人来做，我发现我花了那么多年才学来的IT[1]知识，其实还不如春雁"弹[47]钢琴"的手指[46]。

离我的公司不远的地方有一个艺

---

45. 键盘 jiànpán: keyboard
46. 手指 shǒuzhǐ: finger
47. 弹 tán: to play a music instrument with fingers
48. 没有意思 méiyǒu yìsi: not interesting

术品⁴⁹展览馆⁵⁰。展览馆⁵⁰的房子是
1931 年按外国房子的样子建起来的，
里面的艺术品⁴⁹却都是中国的。一天
吃完午饭，我和春雁去那儿参观，参
观完了，我们坐在外面的椅子上晒 　5
太阳。

　　我平常总是在房间里工作，那天
坐在外面才知道冬天已经过去，春天
来了，花园⁵¹里的花都开了。我对春
雁说，这个房子看起来有点像照片上 　10
你美国的家。她说外面像，里面不
像，因为这个房子只有外面是外国的
样子，里面不是。和我不一样，我外

---

49. 艺术品 yìshùpǐn: artwork
50. 展览馆 zhǎnlǎnguǎn: indoor exhibition space
51. 花园 huāyuán: garden

面是中国的里面是美国的。过了一
会，她又说，我刚才说的不一定对，
也许我应该说，我外面是中国的，里
面是美国的，可是最里面又是中国
的。我们两个都笑了起来。我本来就
5 不懂女人，现在更不懂春雁了。我一
直不知道她到底是中国人还是美国
人。我把她当中国人看的时候，她像
美国人，我把她当美国人看的时候，
她却⁵²又像中国人。春雁有两个家，
10 一个在美国，另一个在中国。我不知
道哪个家对她更重要。她对她自己是
谁好像很清楚，而我却总觉得不太清
楚。所以她那天问我能不能跟她去一
次南昌的时候，我觉得这个问题我已
15 经等了很长时间了。后来我在网上买
火车票⁵³、找宾馆的时候，她说，如
果你愿意，我们可以住一个房间，省
点钱。

　　我和春雁坐的是非常快的火车，
20 叫"高铁⁵⁴"。以前没有高铁⁵⁴的时
候，从上海到南昌要十个小时，现在

---

52. 却 què: but; however
53. 火车票 huǒchēpiào: train ticket
54. 高铁 gāotiě: high speed train; bullet train

只要三个多小时，春雁说真不敢相
信。她说外国学生在中国旅行最喜欢
坐高铁[54]。高铁[54]只比飞机慢一点，却
比飞机便宜得多，而且高铁[54]很方
便，在车上还可以看风景、跟中国人
聊天。春雁还说，在美国现在还没有
这么快的火车。

　　我们俩到南昌那个宾馆的时候，
已经晚上十点多了。因为我们来得太
晚，宾馆里没有两张床的房间了，只
有一个小点的房间给我们，里面放着
一张大床。宾馆的人很抱歉，说可
以给我们打折。我要睡在地上，春
雁说地上不干净，也冷，让我也睡
在床上。

　　我的手机上有立新发来的一个表
情[11]，那是他在跟我开玩笑。立新一
定以为我和春雁成了男女朋友，其实
不是的。我们来这儿是为了看那个儿
童福利院，我觉得这对她来说一定是
一件不能开玩笑的重要的事。一个男
人刚认识一个可爱的女人的时候，你可
能会想："我要是能跟她约会[55]多好

5

10

15

20

55. 约会 yuēhuì: to date; date

啊！"那就是叶公好龙[56]。等你了解了她，而且知道她有自己的麻烦的时候，你就会改变想法，知道你应该像一个好朋友一样去帮她。虽然我要跟春雁在这个宾馆住三个晚上，但我知道，不会有任何事发生。

第二天早上，我说我们先去看南昌最有名的滕王阁[57]吧，春雁说好主意。滕王阁[57]是一千三百多年前建的一个楼，很漂亮，在南昌外面一条江的旁边。过了很多年，原来建的楼已经不在了，现在的楼是在原来的地方照原来的样子建起来的。这个楼很有意思，从外面看有三层，从里面看有七层。在最高一层可以看到江上和很远的风景。那天在下雨，但是雨不大。我们进了滕王阁[57]，一层一层往上走。我问春雁觉得这儿的风景怎么样，她说这个楼是很美，但跟中国别的地方的老楼差不多。我说，有些人说要是他们没去过一个有名的地方，

56. 叶公好龙 yègōng-hàolóng: idiom originated in the Warring States, literally meaning "Mr. Ye who loves the dragon." It implies that somebody who likes something superficially without understanding what it is.

57. 滕王阁 Téngwáng Gé: Duke Teng's Tower, originally constructed in the 7th century. Located by the Gan River in Nanchang, Jiangxi Province.

他们会觉得后悔[58]，可是要是去了那个地方以后，他们会更后悔[58]，因为那个地方没有他们想的那么好。春雁说，那怎么才能不后悔[86]? 我说，你知道了这个地方的故事就不后悔[58]了。比如，我觉得所有的电影明星[59]看起来都一样，而你知道他们的故事，你就觉得他们是不一样的。她问我滕王阁[57]为什么有名，我就说了王勃[60]的故事。

王勃[60]是一千三百多年前的人，

58. 后悔 hòuhuǐ: to regret
59. 明星 míngxīng: star; celebrity
60. 王勃 Wáng Bó: Wang Bo, a talented poet in Tang Dynasty

读过很多书，文章⁶¹写得很好，所以他很年轻的时候就很有名。那时候，有文化的人在一起，常常写文章⁶¹，看谁写得好。有一年秋天王勃⁶⁰来南昌时，滕王阁⁵⁷刚刚建好，很多有名的人（包括南昌的市长⁶²）在滕王阁⁵⁷里一起写文章⁶¹。那个市长⁶²女儿的丈夫，很会写文章⁶¹，市长⁶²想让他第一个写。市长⁶²让人拿来毛笔¹⁵和纸，让大家写。可是每个人都很客气，都把笔和纸给了别人，因为他们心里都很清楚，都知道市长⁶²想让谁第一个写。当⁶³有人把笔和纸给了王勃⁶⁰的时候，他却没有给别人。市长⁶²有点不高兴，就到了另一个房间。市长⁶²又想知道王勃⁶⁰写得怎么样，就让一个人去看。王勃⁶⁰写一句，那个人就进去对市长⁶²说一下。刚写第一句，市长⁶²觉得王勃⁶⁰写得一般，第二句写出来，市长⁶²就开始不说话了，没想到王勃⁶⁰越写越好，等听到"落霞与孤

61. 文章 wénzhāng: article
62. 市长 shìzhǎng: governor or mayor of a city
63. 当 dāng: when

32

鹜齐飞，秋水共长天一色⁶⁴"这句的
时候，市长⁶²已经忘了刚才不高兴的
事，用手打了一下桌子说："写得太好
了！这篇文章一定会被以后的人一直
喜欢的。"然后就走出来见王勃⁶⁰。　　　5

　　春雁问我"落霞与孤鹜齐飞，秋
水共长天一色⁶⁴"是什么意思，我就
说，"落霞"是晚上太阳落下去的时候
颜色漂亮的云。"鹜"是一种野鸭。这
两句要是用现代汉语来说，就是：　　　10

　　太阳落下去时，漂亮的云跟一只
野鸭子一起飞，秋天的江水跟天空的
颜色一样。

　　春雁说这两句话听起来真的非
常美。　　　　　　　　　　　　　　　　15

　　我告诉她，现在很多人到滕王阁⁵⁷
来，就是因为他们知道这两句话。我
们一看，墙上有很多用毛笔¹⁵写的字
和画的画，都是"落霞与孤鹜齐飞，
秋水共长天一色⁶⁴"。我问春雁，"落　　20
霞与孤鹜齐飞"那句里，那个"孤"

64. 落霞与孤鹜齐飞,秋水共长天一色 Luòxiá yǔ gūwù qí fēi, qiūshuǐ gòng chángtiān yí sè: A quote from a prose by Wang Bo, a talented poet in Tang Dynasty, saying that a solitary wild duck flies alongside the multi-colored sunset clouds, and the autumn water is merged with the boundless sky into one hue.

字用**英语**怎么说，她说有两个词，一个是 alone（独自），一个是 lonely（孤独）。我说那这儿就是 alone 的意思。她说为什么，我说，在那么美丽的风

5　景里飞的鸟儿 [65]，是不会觉得 lonely 的。她笑着看我，像小学生 [66] 看着一个老师。然后我请她跟我念那两句话。我看着那条江和落在江中的小雨，想，要是晴天的晚饭后，天上都

10　是漂亮的云，一只鸟儿 [65] 在天上飞，多漂亮啊！

　　我们离开滕王阁 [57] 的时候，**春雁**在商店 [18] 里买了一张**中国**画。画上有一只鸟在漂亮的云中飞，下面有一条

15　江，还用毛笔 [15] 写着那两句话。**春雁**看着画，好像在想什么事。

　　南昌儿童福利院在市中心，也是间学校。进了大门是运动场，周围种着树。我们进了大门往左拐，我在前

20　面走，**春雁**在后面。我走过几棵 [67] 树，就看见一个四层的楼，一层有个大门，门的上面贴着一张很大的红

---

65. 鸟儿 niǎo'ér: bird
66. 小学生 xiǎoxuéshēng: elementary or primary school student
67. 棵 kē: a measure word for trees

纸，上面是黄色的大字："Welcome Home（欢迎回家来）王春燕"。来这儿以前我给学校打过电话，也对他们说了王春燕这个名字，没想到学校这么关心她。我高兴地说："这个学校真不错啊，还写了欢迎你的字。"可是，我转身看春雁的时候，却看见她还站在离我挺远的地方，拿纸擦眼睛，面对着一个刚长大的小树。

我以为美国人不喜欢哭，中国人比较喜欢哭。我现在明白了，每个国家的人高兴的时候都会笑，难过的时候都会哭。也许中国人和外国人本来就没有那么大的不同，我为什么一定

要弄清楚春雁是中国人还是美国人？我看着那张红纸上的黄字，"王春燕"三个字是汉字，不是拼音[68]，他们怎么知道这个回来的孩子认识她最早的名字？那张写着黄字的红纸在风中轻轻动着。我看着它，就觉得它的红色和黄色慢慢地变成了彩色[69]的云，一只鸟儿[65]在朝那儿飞。早上在滕王阁[57]的时候，我曾经高兴地给春雁讲那有名的两句话，以为她跟我的感觉一样。但是现在，我忽然觉得不应该在今天给她讲那两句话。那只鸟儿[65]在我眼睛里只是美丽风景的一部分，而在她眼睛里却可能是另一种感觉。我不再知道那"孤鹜"里的"孤"是alone的意思，还是lonely的意思。

　　一位姓张的老师来带我们参观。他说有很多从这儿走出去的孩子，长大以后又回来过。张老师还给我们介绍了学校的历史和现在学校里孩子们的情况。我问他知道不知道春雁小时候的信息，他就在电脑里找出来给我们看。春雁说这些情况她都知道。我

---

68. 拼音 pīnyīn: pinyin, the alphabetical romanization of Chinese characters
69. 彩色 cǎisè: colorful or colorfulness

觉得春雁这么远来到这儿，只看电脑上的信息是不够的，就问张老师有没有记在纸上的信息，张老师就带我们去里面的房间看。里面的房间像个图书馆。张老师最后找到了一张纸，上面有"王春燕"三个字。春雁非常高兴，还用一只手轻轻握 [70] 住了我的手。那张纸上有春雁来到这个学校的时间，但没有说是谁把她送来的。纸上还有春雁去美国的时间和她美国爸爸妈妈用英文写的名字，在纸的另一面有一张春雁的照片。春雁看到这张照片非常高兴。她两只手拿着那张纸，很认真地看。我说，你美国的家里没有这张照片吗？她说没有。照片已经有点黄。上面的孩子有一岁多，跟所有的一岁孩子一样，头大身体小，看着我们。那个孩子没有现在的春雁漂亮，但小孩的漂亮跟大人的漂亮不一样。春雁把照片举在自己的脸旁边说："像我吗？"我和张老师都说像。我和春雁都用手机照下了那张照片。

　　晚上的南昌和上海一样，天上有

70. 握 wò: to hold

大片的云，那些云被城市的灯照着。灯关着，电视开着，我和春雁坐在床上，她看她的手机，我看我的手机。我们都在看那张小照片，后来我们把
5 两个手机放在一起看，一边看一边说话。

"对你来说，到这儿来一定有特别的意义吧。"我说。

"是的。"

20 "我可以问一下吗？你对你的中国爸爸妈妈有什么样的感觉？"

"我小时候没有感觉，但长大了就有了新的感觉。"

"你恨[71]他们吗?"

"我为什么恨[71]?"

"因为他们把你送给了别人。"

"他们一定有自己的困难，我不相信一个妈妈会愿意把自己的孩子送给别人。" 5

最后一句话给了我很深的印象[72]。我以前以为是她的爸爸妈妈自己愿意把孩子送给别人的，现在忽然明白了，那个妈妈一定是不同意的。我想 10 着孩子被人从妈妈手里抱走的样子。一定有很多双手抱过那个孩子，其中有一双不愿意放开……那个孩子最后像大雁[14]一样飞走了，十八年以后又 15 飞回来，是回来了，可是回来做什么？就是为了看那张一岁多的照片吗？也许她回来没有什么原因，只是来找一种感觉。这种感觉只有她和那个不愿意放开手的妈妈才有。那个妈妈现在也许就在离这儿不远的一个村 20 子[21]里。我从网上看到，中国每年都有一些孩子被送到儿童福利院，可能是因为他们的父母有困难，或者是因

---

71. 恨 hèn: to hate
72. 印象 yìnxiàng: impression

为有的爷爷奶奶想要一个男孩，或者是因为那个孩子的身体有问题。可是我总觉得任何一个妈妈都很爱自己的孩子，不想把孩子给别人。要是别人把她的孩子抱走了，那个妈妈一定会很难过，一定不会忘记她的孩子。

那天晚上，我梦⁷³到我旁边睡着一个一岁多的孩子。

Want to check your understanding of this part?
Go to the questions on page 79.

---

73. 梦 mèng: to dream; dream

5. 在沉鱼的老家

　　第二天，天晴了，我们本来打算在南昌再玩一天，但春雁忽然问我沉鱼电脑里那片好看的油菜[20]花在哪儿，想去那儿看看。她说她大学的老师说，中国现在有很多人在城市里工作，但他们的家还在农村。有的父母都在很远的大城市工作，他们的孩子在农村跟爷爷奶奶生活。这样的孩子叫"留守[74]儿童"。春雁说她很想看看中国现在的农村，了解一下留守[74]儿童的情况。于是我就给沉鱼打电话，告诉她我在帮助一个美国来的大学生了解中国农村，可不可以去她家看看。沉鱼同意了，告诉了我她家的电话和怎么样去她家。她还说她七岁的儿子和她妈妈在家。

　　我们按沉鱼说的先坐火车再换公

5

10

15

---

74. 留守 liúshǒu: to stay or remain in a place（留守儿童 liúshǒu értóng: children who stay at rural home while their parents work in a city）

共汽车，在车上我们认识了一些农民，<u>春雁</u>很有兴趣地跟他们聊天。这个地方很像我的家，所以我很喜欢。<u>春雁</u>也很喜欢这样的旅游，一点也不
5 觉得累。我们在一个离山很近的地方下了公共汽车，又坐上了一个电动⁷⁵三轮车⁷⁶上山，最后来到了一个村子²¹。现在是五月的最后几天，油菜²⁰花没有了，只有油菜²⁰，很绿，也很好看。

10 车一到村子²¹，我们就见到了<u>沉鱼</u>的妈妈和儿子，他们正在村子²¹外面的大树下等我们。旁边还有几个老人在晒太阳。那是下午四点左右，太阳挂在天上，把这个山上的村子²¹照得非常亮。<u>春雁</u>拿出水果和糖请孩子
15 和树下的老人们吃。那些老人都认识<u>沉鱼</u>的妈妈，他们见了我们都很高兴，还跟我们聊了一会天。<u>沉鱼</u>妈妈说孩子叫<u>牛牛</u>，<u>牛牛</u>马上说，他在学
20 校的名字是<u>张亮亮</u>。<u>沉鱼</u>妈妈说，<u>亮亮</u>一听说妈妈的朋友要来，今天就没有去学校。<u>亮亮</u>一会儿就跟我们成了好朋友，拉着<u>春雁</u>的手往家里走。

75. 电动 diàndòng: electricity powered
76. 三轮车 sānlúnchē: tricycle

　　这个村子²¹的中间是一条小河，河的两边都是房子。沉鱼住在她父母的家里，就在河边，他们家有一个院子⁷⁷，院子⁷⁷的三面都是房子。沉鱼的爸爸在附近的小城市给别人帮忙，今天不能回来，所以只有她妈妈和亮亮在家。沉鱼妈妈请来了沉鱼的叔叔和他的妻子，他们住在附近。还请了沉鱼的好朋友芳芳，芳芳的丈夫也在别的地方工作，她和八岁的女儿一起来到沉鱼家。春雁拿着照相机，跟两个孩子在院子⁷⁷里和房子里到处走，到

5

10

77. 院子 yuànzi: yard or courtyard

处看，拿米给院子⁷⁷里的鸡吃，又拿草去给叔叔家的马吃。

　　墙上挂着很多照片，有沉鱼中学时候的，还有她抱着孩子的。亮亮还
5　拿出一些别的照片给我看，里面有一张沉鱼小时候被妈妈抱着的黑白照片。坐在沉鱼家里看这些照片，我觉得她不再是一个离我有点儿远的卖鱼的人，而是³⁵像一个我认识很多年的朋友。晚饭时，桌上摆了很多菜，我
10　和春雁、芳芳、叔叔还有两个孩子坐着吃，沉鱼妈妈和沉鱼叔叔的妻子还在厨房里忙。

　　沉鱼的叔叔六十多岁，请我们喝
15　酒。芳芳和春雁不喝酒，只有我跟他喝。他说沉鱼前年离婚⁷⁸了，不想在家，就去了上海。他说，其实，在附近的小城市找个工作也不错。他还说那个鱼店¹⁸是沉鱼的一个同学的，因
20　为那个同学去开饭馆，就请沉鱼去替他卖鱼。他问我沉鱼在上海住的地方怎么样，工作怎么样，我就说都很好。春雁拿出一张纸，上面有她写的问题。她问了叔叔很多问题，叔叔回

78. 离婚 lí hūn: to divorce

答说，这个村子 [21] 有几百年的历史
了，但现在人越来越少。上完中学的
年轻人几乎都到城市去工作了。有些
人带着孩子去城市上学。芳芳说，村
里人少了也是好事，因为剩下的人就 5
会有更多的地方种茶、种油菜 [20]。她
说这儿的山上除了茶，还有很多好东
西，都可以卖钱。亮亮说山上还有很
多树，非常漂亮，也有鸟和动物。每
年秋天都有很多人从南昌来这儿的山 10
上玩。

　　叔叔说，我们这儿最有名的是三
清云雾茶 [36]。你们知道三清茶的故事

吗？从前，天上有个皇帝[27]，种着很多非常好的茶。有一年，有两只鸳鸯[79]鸟去那里偷了一些茶的种子[80]，那两只鸳鸯[79]鸟把茶树的种子[80]放在嘴里。

5 在飞过三清山[37]的时候，它们看到下面的风景非常美，一高兴，就开始唱歌，结果茶的种子[80]从嘴里掉到了三清山[37]上，所以这儿就有了三清云雾茶[36]。春雁问什么是鸳鸯[79]鸟，叔叔

10 说："鸳鸯[79]是一种懂得爱的鸟，它们像人一样。如果一只鸳鸯[79]爱另一只，它们就像结婚了一样，一直在一起。所以我们这儿就有一个习惯：一个男孩要是想告诉一个女孩他很爱她的话，就要请女孩喝春天最早的三清

15 茶，而且两个人只能泡一壶茶，这叫'茶遇情人一壶足'。去年沉鱼去上海的时候，我给了她一包春天最早的三清茶，告诉她只能跟男朋友一起喝。"

20 就在这个时候，有人给叔叔打电话，他说是沉鱼打来的。"喂，我们正吃饭呢，我刚给这两个客人说了三清茶的故事，告诉他们'茶遇情人一壶

79. 鸳鸯 yuānyang: mandarin ducks
80. 种子 zhǒngzi: seed

46

足'那句话。啊，你有男朋友了吗？
我给你的茶，你喝了吗？喂……"叔
叔看了一下手机说，"这姑娘，怎么正
跟我说话就忽然停了？"我明白了，那
天沉鱼说"茶遇……一壶足"的时 5
候，脸红了一下，那是因为她不好意
思说"情人"这个词。现在，我觉得
我的脸也是红的。

　　吃完饭，芳芳和两个孩子带我们
去村子²¹里。我们先去小学。已经放 10
学了，没有学生，但是校长⁸¹还在。
芳芳给校长⁸¹介绍我们，校长⁸¹知道春
雁从美国来，很高兴，问她第二天能

81. 校长 xiàozhǎng: headmaster; school principal

不能来给孩子们上一次课。春雁非常高兴，说没问题。芳芳还带我们去看教室，给我们指她和沉鱼以前坐过的椅子。

我们又来到村子²¹的中心。这里有一个很大的院子⁷⁷，院子⁷⁷的三面都有房子，这是人们举办活动的地方，也是大家开会的地方。我们去的时候，有十几个女人在院子⁷⁷里跳舞。一个房间里有五六个男人坐在那儿喝茶聊天。我们也跟她们一起跳了一会儿。休息的时候，跳舞的阿姨听说春雁是从美国来的，觉得很新鲜，都笑着跑过来，很快，她周围就站了很多人。春雁问那些阿姨明天能不能到学校来跟孩子玩，她们都高兴地同意了。一个阿姨还带着我们到房子里去见村主任⁸²，村主任⁸²听说春雁要给孩子们上课，还要带孩子们玩，非常高兴，说："没问题，没问题，另外……我们还能怎么帮你？"春雁说，明天孩子们会搞个足球比赛，请阿姨们来跳舞怎么样？村长⁸²说："你就放心吧，一点儿问题都没有！我代表村里的人

82. 村主任 cūnzhǔrèn: head of a village

48

们谢谢你！"然后他对旁边的几个男人说，"明天把锣鼓[83]也打起来，叫村里的人都去学校看足球比赛。"

从那个大院子[77]里出来以后，我们决定去后面的一个小山上玩。我们走在一条小路上，两边都是大树。两个孩子虽然常常来这儿玩，但还是跟我们一样觉得新鲜和高兴。他们已经跟春雁成了最好的朋友。他们觉得春雁说的汉语十分好玩。春雁说，跟孩子说汉语比跟大人说容易。我们三个大人跟两个孩子比赛，看谁走得最快。等我们到小山上的时候，都觉得很累，就坐下休息和看风景。太阳快要落到很远的山上了，西边的天上都是彩色[69]的云，像画一样漂亮。

芳芳对春雁说："汉字很有意思，有时候一个字就是一个故事。比如，在'仙[84]'字里，左边是一个'人'，右边是一个'山'，意思是人如果到山里就会变成仙[84]，永远活着。"
春雁说："太好玩了，我们现在在山里，所以我们都是仙[84]。"两个孩子觉

83. 锣鼓 luógǔ: gongs and drums
84. 仙 xiān: immortal

49

得她们说的话很有意思，都笑了起来。这时我想到上海，上海没有山。我喜欢山，所以我有时候把上海的高楼当山，把下面的马路当河，把马路上的车当船，但是在上海我一直没有把自己当仙 84。上海的空气不好，南昌的空气也不好，但这儿的空气非常好，我们能看到很远的地方。

我对春雁说："在这儿我们能看清楚一切东西，包括我们的过去。这儿才是你应该来的地方，不是南昌。"春雁看着我，笑了一下，表示同意。

"你看见那个天女 85 山了吗？"芳芳的女儿坐在春雁旁边，给她指着很

85. 天女 tiānnǚ: fairy from the sky

远的一座山说。

我们都往那边看去，就看见远处的山，像是一个女人。

"我给你们讲个故事吧。"芳芳的女儿说。"从前，天上皇帝[27]的女儿到地上来玩，跟山里一个人结婚了。天上的皇帝[27]很生气，就派人把女儿带回天上。她走的时候，搬了一块石头放在那个山顶上，结果那个山看起来就很像她，她的丈夫每天都可以见她。"

亮亮问她："那个天上皇帝[27]的女儿为什么看起来很像地上的人？"

春雁说："也许是因为天上的人最早的时候是从地上去的。"

太阳落到山那边了，天上有很多颜色漂亮的云。春雁对两个孩子说："小朋友们，你们看见那些云了吗？对了，好像还有一只大雁[14]在飞。我和你们一起念两句很有名的话好吗？"然后我就听到了他们的声音：

落霞与孤鹜齐飞，
秋水共长天一色。

Want to check your understanding of this part?
Go to the questions on page 80.

6. 山里的小学今天很热闹

芳芳很喜欢春雁，晚上回到家以后，就请春雁去她家睡觉。亮亮也跟她们去了。我就住在沉鱼的卧室里。沉鱼的房间外面看起来是以前的旧房子，里面却很新。墙很白，房子里有沙发、桌子、椅子和床。沉鱼妈妈给我换了新被子[86]。被子[86]是沉鱼妈妈自己做的，向外的一面是红的，向里靠着身体的那面是白的。这种被子[86]从前是农村人结婚用的，我已经好几年没见过了。红色的枕头[87]上有两只鸳鸯[79]鸟。墙上不但有风景画和电影明星[59]的画，还有几张沉鱼的照片，每张照片都看着我笑。我看着这些照片，也对她微笑[8]。后来我上了床，关了灯。月亮的光从窗户照进来，我躺在床上，身上是大红的被子[86]，看着窗户外面的月亮，觉得这儿真安静。

86. 被子 bèizi: quilt
87. 枕头 zhěntou: pillow

　　我忽然想给沉鱼发个短信[88]。打
开手机一看，上面已经有一条沉鱼的
短信[88]："我家很简单，真不好意思。"
我本来想说很多感谢的话，最后却只
给她发了"很舒服"三个字。

5

　　第二天上午我和春雁带了很多东
西去学校。昨天晚上吃完晚饭以后，
春雁和我去了村子[21]里的商店，我们
一起给每个孩子买礼物，包括笔、蛋
糕、糖、水果等，还买了四个篮球和
四个足球。前一天的晚上，她还像老
师一样认真准备了一下，把上课要做
的事都写在纸上。我记得有人说，外

10

88. 短信 duǎnxìn: text message; SMS

国人每天离开家的时候，都把一天要
做的事和要买的东西写在纸上。我的
那位数学老师还说过，我们中国人喜
欢说"看情况吧"，或者"到时候再说"，
不喜欢做计划。当然，有时候我们也
做计划，但是我们的计划经常变。

学校一共有四个班，四十二个学
生。春雁给每个班上了一节课，我和
芳芳也跟她一起上课，参加孩子们的
活动。她教孩子们唱英语歌，又教他
们写英文，最后还给了学生们礼物，
那些蛋糕、糖、葡萄、苹果等好吃的
东西，学生们都非常喜欢。

别的小朋友拿到糖或者水果就高
兴地吃了，有个一年级的小女孩一个
也不吃，拿在手里。春雁问她为什么
不吃，她不说话。她看起来十分瘦。
旁边的孩子说她要拿回去给弟弟吃。
校长[81]在旁边说，村里各家的条件不
一样，有的好，有的不好。比如这个
女孩，她爷爷死了，爸爸妈妈都在很
远的城市里工作，只有她和三岁的弟
弟跟奶奶在家生活。春雁抱起小女孩
说："下午我带你出去玩好吗？"孩子
还是只看着她，不说话。校长[81]说，

现在我们学校的钱不多，很多这样的
孩子需要帮助。他说他正在想办法找
有钱的人给学校捐钱[89]。

下午两点上完了课，所有孩子和
老师都来到学校后面的运动场。春雁 5
把学生和老师分成[90]两队，我和芳
芳、校长[81]在一队，她和两个男老师
在另一队。看到这两个队准备比赛足
球，几个男人打起锣鼓[83]，村里老
人、孩子都高兴地跑过来看。分在两 10
个队里的学生都差不多，都有很小的
和大一点的，也都有大人，有老师，

89. 捐钱 juān qián: to donate money
90. 分成 fēn chéng: to divide into

55

大家踢得都很开心。旁边看比赛的
人，好像比正在比赛的人还要高兴，
打锣鼓[83]的声音、叫的声音和笑的声
音都飞上了天。春雁、芳芳，还有一
5　个女老师踢球都很棒，跑得比校长[81]、
我和两个男老师都快。昨天那些跳舞
的阿姨在足球比赛休息的时候出现
了，她们穿得特别漂亮，跟着音乐跳
着很现代的舞，那几个男人也跟着音
10　乐打着锣鼓[83]，非常好玩。

　　比赛结束以后，校长[81]说："感谢
大家对学校的关心。现在我们的老师
越来越少，是因为我们的钱不多。如
果我们有钱，就可以多请老师，而且
15　可以帮助一些家里经济条件不好的学
生。这位美国来的大学生，和她上海
的朋友昨天已经给学校买了篮球、足
球，而且给每个孩子都买了礼物。谢
谢你们！"

20　　校长[81]刚说完，芳芳就接着说：
"我想告诉大家一个消息，我们村最有
名的人李哥昨天回来了。李哥在大城
市里有很大的公司。他现在就站在
那儿！"

大家跟着芳芳的手看过去，看见一个人穿着名牌衣服，戴着黑色的眼镜，正在对芳芳笑。

芳芳甜甜地笑着说："李哥，我们是老同学呀，你不会忘记，你也是从这个学校毕业的吧？"大家都笑着看李哥。

芳芳对李哥说："李哥，你要不要来给大家讲话[91]呀？"

戴黑眼镜的人朝这边摆摆手，意思是他没有话说。接着，他举起两个手指[46]。

"什么意思，李哥，你是要捐两千块钱吗？"芳芳说。

戴黑眼镜的人不动。芳芳说："两万？"戴黑眼镜人还是不动。"二十万？！"。戴黑眼镜的人笑着放下了手。大家都高兴地鼓掌，声音特别大。

放学以后，我和春雁带着那个小女孩去村里的商店。春雁除了给她和弟弟买了新衣服、新鞋，还买了一大包吃的东西，有饮料，还有鸡蛋和饺子。她又在一个小书店了买了几本

5

10

15

20

91. 讲话 jiǎng huà: to make a speech

书。那孩子已经跟我们是好朋友了，她对我们说了很多有意思的事。春雁问她最喜欢什么，她说最喜欢新年。她说她爸爸妈妈在很远的地方工作，

5　再有七个半月就过新年了，那时候他们就会回来。最后她还教春雁唱一首她喜欢的歌：

新年到，新年到，
10　打锣鼓[83]，放鞭炮[92]。
小孩子，长大了，
再也不用妈妈抱。

当小女孩发现春雁还没有她念得
15　好的时候，就问春雁是几年级的学生，春雁说她也是一年级的学生。我和小女孩都笑了。

我们回到学校的时候，校长[81]还在等我们。春雁想送孩子回家，校长[81]
20　知道我们要坐火车回上海，就说孩子的家在山上的另一个村子[21]，走过去要半个小时。平常小女孩都是跟别的大孩子一起回去，今天他可以送她回

92. 鞭炮 biānpào: firecracker

去。<u>春雁</u>又拿出一些钱，让她给奶
奶。小女孩开始不要，最后校长[81]
说，收下吧，别客气。她才收下钱，
高兴地跟校长[81]走了。走了几步，孩

子转过来对我们说再见，一只小手摆着，另一只小手紧紧地拿着钱。

看到我们回来了，沉鱼的妈妈马上笑着拉住春雁的手说："村子[21]里的人都说你是个特别好的老师！"她又对芳芳说，"要是我有春雁这样的女儿多好啊！"芳芳说："她已经同意当我妹妹了，你也让她当你的女儿吧！"沉鱼妈妈说："我把你们两个都当成我的女儿！"春雁和芳芳马上每人拉住妈妈的一只手说："妈妈好！"

我和春雁离开村子[21]的时候，沉鱼妈妈拿出了几个大包，她给春雁一大包三清云雾茶[36]，让她回去给美国的爸爸妈妈喝，还让我给沉鱼带去一些晒过的鱼。我说沉鱼就是卖鱼的，为什么还给她鱼？沉鱼妈妈说，这儿的鱼比上海的好吃。我在沉鱼家的院子[77]里给春雁和所有的人照了一张照片，然后我们说了"再见"，就坐着电动[75]三轮车[76]下山了。他们都祝我们一路平安。亮亮和芳芳的女儿跟着车子跑，过了一会儿，我们就看不见他们了。也许是因为车子开得太快，春雁又握[70]住了我的手，还比上次握[70]得紧了点。

Want to check your understanding of this part?
Go to the questions on page 80.

7. 喜欢卖菜的外国学生

　　春雁过二十一岁生日是在酒吧里，她请我去，还让我把沉鱼也请来。可是沉鱼那天回家去了，我就请了立新和他的妻子小云一起去。春雁说，去酒吧过生日，是因为在美国二十一岁就可以喝酒了。我们晚上八点到酒吧的时候，春雁正跟三个女生在那儿聊天，一个美国的，两个英国的。春雁给我们介绍完，那三个女孩就跟我们聊起来。有时候说汉语，有时候说英语，立新和小云说他俩英语不太好，那几个学生说没关系，她们本来就喜欢跟中国人说汉语。过了一会儿又来了七八个人，包括五个男生。后来酒吧里有两个男的和一个女的开始唱歌，那些学生就请我们一起去跳舞。酒吧里还有很多外国人，有留学生，也有在上海工作的。那些喝了啤酒的学生的汉语好像都变好了，

我和立新、小云就跟他们说汉语。学
生们也都很聪明，不管我们说什么，
他们总是点头说懂了。立新给他们讲
中国的喝酒文化，最后还买了一瓶中
国酒请大家喝，他说这个酒在中国非 5
常有名。春雁用手机给大家看我和她
在沉鱼家的村子²¹里照的照片，大家
都说照得好。有几个学生说，他们要
写一个中国城市和农村的报告，但不
知道去哪儿了解情况才好，我就说去 10
我家附近的菜市场³吧，他们听了都很
高兴。立新说他可以开车来接他们。

　　我告诉了沉鱼外国大学生想去菜市场³了解城市生活的事，沉鱼就帮我找了几家小摊⁴。那天立新开车带来了四个学生。一个男学生去一个卖肉的小店¹⁸，他戴上一个围裙⁹³，拿着一把刀，大声说："卖肉了，很便宜！"一会儿就有几个人过来。开始的时候，他们只看不说话，后来一边看一边说话，最后一边说话一边买肉。卖菜的小摊⁴上，英国女学生用很高的声音说："大家好！来看看我的菜！"她拿起一种她叫不出名字的绿色的菜，看了一下价格⁹⁴说，"这个，一斤三块五毛钱，"又拿起另一种她叫不出名字的又细又长的菜，"这个，一斤两块八毛钱……"水果摊⁴上的女学生汉语不太好，但她认识很多水果，就给客人介绍说："这是苹果，十元钱三斤，那是香蕉，十元钱四斤！"菜市场³外面，美国男学生在帮一个人修电动⁷⁵自行车。好几个人过来看，还跟他用汉语聊天。那些人问了他很多美国的情况，他也问了那些人很多中国的情况。

93. 围裙 wéiqún: apron
94. 价格 jiàgé: price

春雁在帮沉鱼卖鱼。她站在柜台前面，用不太好的汉语对经过这儿的人说："您要买鱼吗？"那些人觉得很有意思，就停下来看着她们俩。沉鱼告诉他们说，春雁是美国来的大学生，到这里帮助卖鱼，是因为想了解一下中国的城市生活。过了一会儿，就有很多人开始买鱼。立新见沉鱼很忙，就让我去帮她，我就帮她收钱。一个老人看了看我，对沉鱼说，你丈夫可不太懂事[95]，你这么忙，他刚才还在旁边跟人聊天。沉鱼笑一笑，什么也没说。过了一会儿，不忙的时候，春雁给沉鱼看了在她家照的照片。她们两个在一起看手机的时候，我又给她们照了一张照片。

5

10

15

Want to check your understanding of this part?
Go to the questions on page 81.

---

95. 懂事 dǒng shì: to know what is appropriate

8. 不吃鱼了，吃水果

时间过得真快，很快就到七月了。春雁的留学结束了，要回美国去。她离开的时候看着我说："我要走了，谢谢你给我的帮助。"美国人总是喜欢说"谢谢"。我说："如果我帮过你什么的话，那你就把我当成你的手吧。要是你的手帮你把饭送到嘴里，你会说谢谢吗？"春雁一笑，把一只手举起来，对它说："谢谢你，我的手，我走了以后你会想我吗？我知道你会想我的，我也会想你。"说完在手上吻了一下，然后又像大人跟小孩子说话一样对我说，"其实我觉得你是一个女人会喜欢的人。"

我还是第一次听见一个女人这样说。我一直以为，在女人眼睛里我是个没有意思[48]的人。我说："真的吗？可是我家的人都说我这方面比较差，到现在还没有女朋友。"

　　春雁说："要是我不回美国的话，我会爱上你的。"

　　我也想跟她开个玩笑，就说："谢谢你说会爱上我，如果是真的，那你什么时候跟我结婚呢?"春雁也开玩笑地说:"对不起,十年以后吧,你会等我吗?"

5 　　我像电影里结婚的人一样,说:"我愿意。"

　　"但是另一个女人也会愿意等你十年。"春雁说。我不知道她是什么意思。

　　春雁拿出手机给我看一张照片,上面的我正在帮沉鱼收钱,沉鱼甜甜
10 地笑着看我。我和沉鱼很像丈夫和妻子。

　　我的脸一定很红,我很不好意思,特别是春雁还一直看着我,让我更不好意思。

15 　　后来我忘了我们说了什么,又好像没说什么。在这个房子里,除了我们两个,还有很多看不见的信息,像蜜蜂²⁵一样,从电脑里飞进来,飞出去,十分安静。我们拥抱⁹⁶了一下,
20 跟平常的拥抱⁹⁶不太一样,有点长,有点紧。房子里除了蜜蜂²⁵的声音,还有我们心跳的声音。

　　春雁走了以后,我可以在家里工作了,但我还是每天都去办公室。春

---

96. 拥抱 yōngbào: to embrace; to hug

雁和沉鱼的照片还在我的手机里,我每天都看着她们。可能是春雁带走了春天,留下了夏天。夏天的上海,除了有空调⁹⁷的房子,别的地方都特别热。　　　　　　　　　　　　　5

　　两个星期以后,我收到了春雁寄来的两张照片,一张照片的后面写着:

　　"亲爱的手,请把这张照片送给沉鱼姐姐。下次我去上海的时候,希望照片上的人一个是我的姐姐,另一　　10
个是她的丈夫。"我看了看,那正是我和沉鱼在一起的照片。

　　另一张是春雁在她的卧室里抱着猫的照片。卧室的墙上有很多明星⁵⁹的照片。在那些明星⁵⁹中间,是那张　　15
"落霞与孤鹜齐飞"的中国画。

　　那个周末我又去买鱼,鱼店¹⁸却换了人,沉鱼不在那儿了。新的人告诉我沉鱼不卖鱼了,在外面开了一个水果店¹⁸。我很容易就找到了,那是个　　20
很大很漂亮的店¹⁸,有很多不一样的水果,那些水果都很香。太阳照进来,沉鱼和水果像是一张漂亮的画。她说她的孩子已经在附近的小学上学了,

---

97. 空调 kōngtiáo: air conditioner

她妈妈也来上海给她帮忙。我要买水果，她给了我一大包，不要我的钱，只收下了那张照片。我出了水果店[18]，又转过身看了看她。画里的沉鱼正在看照片，头发上有太阳的光，脸上的笑容非常真，非常美。

5

"吃鱼了吗？"立新在网上问。

"我现在不吃鱼，改吃水果了。"

Want to check your understanding of this part?
Go to the questions on page 82.

To check your vocabulary of this reader,
go to the questions on page 83.

To check your global understanding of this reader,
go to the questions on page 84–85.

生词表
Vocabulary list

1	IT		Internet Technology
2	地铁站	dìtiězhàn	subway station
3	菜市场	càishìchǎng	fresh market; farmers' market
4	小摊	xiǎo tān	small stand as in a flee market （摊 tān: vender's stand）
5	小区	xiǎoqū	a residential complex
6	修理	xiūlǐ	to repair
7	真实	zhēnshí	real; realistic
8	微笑	wēixiào	to smile
9	屏幕	píngmù	screen
10	西施	Xīshī	Xishi, a beautiful woman in the Warring States period
11	表情	biǎoqíng	emoji; facial expression
12	成语	chéngyǔ	idiom
13	王昭君	Wáng Zhāojūn	Wang Zhaojun, an ignored royal concubine adopted by the emperor and married off to a Mongol King, famous for her beauty
14	大雁	dàyàn	wild goose
15	毛笔	máobǐ	writing brush
16	坏人	huài rén	bad people
17	首饰	shǒushì	jewelry
18	店	diàn	store
19	耳环	ěrhuán	earring
20	油菜	yóucài	young rape seed plant as a vegetable
21	村子	cūnzi	village
22	收养	shōuyǎng	to adopt

23	面试	miànshì	interview
24	数据库	shùjùkù	database
25	蜜蜂	mìfēng	bee
26	燕	yàn	swallow
27	皇帝	huángdì	emperor
28	杀	shā	to kill
29	茶馆	cháguǎn	tea house
30	树根	shùgēn	root of a tree
31	茶壶	cháhú	teapot
32	木头	mùtou	wood; log
33	勺子	sháozi	spoon
34	细小	xìxiǎo	small and tiny
35	而是	érshì	but is
36	三清云雾茶	Sānqīng Yúnwù Chá	Three Clarity Misty Tea, a kind of tea produced in the Three-Clarity Mountains area in Jiangxi Province
37	三清山	Sānqīng Shān	Three Clarities or Purities, a Daoist religious term, meaning the Jade Clarity, the Superior Clarity, and the Extreme Clarity. In this story, it is interpreted as clarity of the sky, earth and mind.
38	泡茶	pào chá	to make or brew tea
39	爬	pá	to climb
40	酒逢知己千杯少	Jiǔ féng zhījǐ qiān bēi shǎo	Meeting a true friend over wine, even a thousand cups are too few.
41	茶遇良朋一壶足	Chá yù liáng péng yì hú zú	Meeting a close friend over tea, a single pot suffices.
42	君子之交淡如水	Jūnzǐ zhī jiāo dàn rú shuǐ	The friendship between true gentlemen is as bland as water.

43	成功	chénggōng	to succeed; success
44	亲吻	qīnwěn	to kiss
45	键盘	jiànpán	keyboard
46	手指	shǒuzhǐ	finger
47	弹	tán	to play a music instrument with fingers
48	没有意思	méiyǒu yìsi	not interesting
49	艺术品	yìshùpǐn	artwork
50	展览馆	zhǎnlǎnguǎn	indoor exhibition space
51	花园	huāyuán	garden
52	却	què	but; however
53	火车票	huǒchēpiào	train ticket
54	高铁	gāotiě	high speed train; bullet train
55	约会	yuēhuì	to date; date
56	叶公好龙	yègōng-hàolóng	idiom originated in the Warring States, literally meaning "Mr. Ye who loves the dragon." It implies that somebody who likes something superficially without understanding what it is.
57	滕王阁	Téngwáng Gé	Duke Teng's Tower, originally constructed in the 7th century. Located by the Gan River in Nanchang, Jiangxi Province.
58	后悔	hòuhuǐ	to regret
59	明星	míngxīng	star; celebrity
60	王勃	Wáng Bó	Wang Bo, a talented poet in Tang Dynasty
61	文章	wēnzhāng	article
62	市长	shìzhǎng	governor or mayor of a city
63	当	dāng	when

64	落霞与孤鹜齐飞,秋水共长天一色	Luòxiá yǔ gūwù qí fēi, qiūshuǐ gòng chángtiān yí sè	A quote from a prose by Wang Bo, a talented poet in Tang Dynasty, saying that a solitary wild duck flies along-side the multi-colored sunset clouds, and the autumn water is merged with the boundless sky into one hue.
65	鸟儿	niǎo'ér	bird
66	小学生	xiǎoxuéshēng	elementary or primary school student
67	棵	kē	a measure word for trees
68	拼音	pīnyīn	pinyin, the alphabetical romanization of Chinese characters
69	彩色	cǎisè	colorful or colorfulness
70	握	wò	to hold
71	恨	hèn	to hate
72	印象	yìnxiàng	impression
73	梦	mèng	to dream; dream
74	留守	liúshǒu	to stay or remain in a place
75	电动	diàndòng	electricity powered
76	三轮车	sānlúnchē	tricycle
77	院子	yuànzi	yard or courtyard
78	离婚	lí hūn	to divorce
79	鸳鸯	yuānyang	mandarin ducks
80	种子	zhǒngzi	seed
81	校长	xiàozhǎng	headmaster; school principal
82	村主任	cūnzhǔrèn	head of a village
83	锣鼓	luógǔ	gongs and drums
84	仙	xiān	immortal
85	天女	tiānnǚ	fairy from the sky
86	被子	bèizi	quilt
87	枕头	zhěntou	pillow
88	短信	duǎnxìn	text message; SMS

89	捐钱	juān qián	to donate money
90	分成	fēn chéng	to divide into
91	讲话	jiǎng huà	to make a speech
92	鞭炮	biānpào	firecracker
93	围裙	wéiqún	apron
94	价格	jiàgé	price
95	懂事	dǒng shì	to know what is appropriate
96	拥抱	yōngbào	to embrace; to hug
97	空调	kōngtiáo	air conditioner

练 习
Exercises

1. **从买鱼开始的故事**

   根据故事选择正确答案。 Select the correct answer for each of the questions.

   (1) 我为什么不喜欢那个干净的新超市,反而喜欢那个有点吵的菜市场[3]?( )

   　　A. 因为菜市场[3]离地铁站[2]近。

   　　B. 因为菜市场[3]里的东西都是洗干净的。

   　　C. 因为菜市场[3]让我觉得我离开了上海。

   　　D. 因为菜市场[3]在我住的小区[5]里。

   (2) 下面哪一句话不对?( )

   　　A. 菜市场[3]那儿人多,商店多,做生意的都是外地来的人。

   　　B. 我以前在农村的时候想来上海,但现在又想离开上海。

   　　C. 立新不想让我结婚,因为他觉得结了婚就不自由了。

   　　D. 我跟立新在一起就很喜欢说话。

   (3) 我为什么一直只去沉鱼那儿买鱼? 你觉得最有可能的原因是什么。( )

   　　A. 因为我觉得沉鱼好看。

   　　B. 因为我讨厌其他卖鱼的人。

   　　C. 因为沉鱼很有礼貌。

   　　D. 一开始因为只有沉鱼在菜市场卖鱼,后来卖鱼的小摊多了,但她从来不叫我,只是对我笑笑。

(4)关于"沉鱼落雁",下面哪个不对?(　　)

    A. 这是一个成语[12]。

    B. 沉鱼指的是一个叫西施[10]的女子,落雁指的是一个叫王昭君[13]的漂亮女子。她们都很漂亮。

    C. 立新觉得我知道"沉鱼落雁"很正常。

    D. 因为"沉鱼落雁",所以我和立新才管卖鱼的女人叫"沉鱼"。

2. 公司里新来的女大学生

根据故事选择正确答案。Select the correct answer for each of the questions.

(1)我和小张听到春燕说她是美国父母收养[22]的中国孩子,为什么都没有说话?(　　)

    A. 因为他们觉得收养[22]是个常见的事,没什么特别的。

    B. 因为他们不知道该说什么。

    C. 因为他们不知道春燕是美国人还是中国人。

    D. 因为他们不会说英语。

(2)下面哪一句话是错的?(　　)

    A. 信息像蜜蜂[25]一样,从一个地方飞到另一个地方。

    B. 信息的家是有数据库[24]的电脑,蜜蜂[25]的家挂在山里的树上。

    C. 春燕只有一个家,在美国。

    D. 春燕有两个家,一个在美国,一个在中国。

(3)下面哪一句话是错的?(　　)

    A. 春燕一岁多离开中国,二十岁回到中国。

    B. 春燕知道她的名字用汉字怎么写。

    C. 燕[26]子和大雁[14]都是鸟儿[65]。

    D. 春燕会说一点汉语。

3. 这种茶只给最好的朋友喝

根据故事选择正确答案。Select the correct answer for each of the questions.

(1) 下面哪一句话是不对的? (　　)

　　A. 在茶馆²⁹也可以买茶。

　　B. 茶馆²⁹喝茶的桌子是树根³⁰做的。

　　C. 沉鱼的电脑没有大问题,只是需要弄干净就行。

　　D. 沉鱼觉得我应该去帮她卖鱼,不应该做IT¹工作。

(2) 关于喝茶,下面哪一句话不对?(　　)

　　A. 喝茶最好用大杯子,而且茶泡得时间越长越好喝。

　　B. 不要在吃饭的时候或者睡觉以前喝茶。

　　C. 喝好茶的人喜欢茶的味道,不是因为渴了才喝茶。

　　D. 喝好茶跟喝好酒一样,不能喝得太多。

(3) 沉鱼为什么说我更应该喝三清茶?(　　)

　　A. 因为三清茶是山上的茶。

　　B. 因为我在上海天也不清,地也不清,心也不清。

　　C. 因为三清茶的味道很特别。

　　D. 因为三清茶是她从家里带来的。

(4) 沉鱼问我:"那你为什么去买我的鱼?"我为什么没有回答?

　　(　　)

　　A. 因为我觉得不用回答她的问题。

　　B. 因为沉鱼的鱼好吃。

　　C. 因为其实我有点儿喜欢沉鱼。

　　D. 因为我没有听见她说的话。

4. 去南昌找小时候的春雁

根据故事选择正确答案。Select the correct answer for each of the questions.

(1)我为什么觉IT[1]工作应该由女人来做?(　　)

　　A.因为春雁用电脑工作的样子像弹[47]钢琴,很好看,很轻松。

　　B.因为春雁喜欢IT[1]工作。

　　C.因为我学来的电脑知识没有春雁的多。

　　D.因为男的做IT[1]工作没有女的做得好。

(2)我为什么不知道春雁到底是中国人还是美国人? 请选一个最好的答案(　　)

　　A.因为她看起来是中国人,但在美国长大。

　　B.因为她像那个艺术馆一样,外面是外国的,里面是中国的。

　　C.因为她外面像中国人,里面像美国人。

　　D.上面的都对。

(3)立新为什么觉得我和春雁成了男女朋友?(　　)

　　A.因为我很爱春雁。

　　B.因为春雁很爱我。

　　C.因为我们要在一个房间里睡觉。

　　D.因为我常常跟春雁在一起。

(4)关于王勃[60]的故事,下面哪一句不对?(　　)

　　A.他在南昌参加了一个有文化的人的聚会。

　　B.市长[62]开始的时候不喜欢王勃[60],最后也不喜欢他。

　　C.他在聚会上写了一篇很有名的文章[61]。

　　D.在聚会上,别人请他写文章[61]的时候,他没有客气。

5. 在沉鱼的老家

　　根据故事选择正确答案。Select the correct answer for each of the questions.

　　(1) 关于沉鱼的家,下面哪一句话不对?(　　)

　　　　A. 她家在山上的一个村子²¹里。

　　　　B. 村子²¹外面有一个大树。

　　　　C. 我们到的时候,沉鱼的妈妈和沉鱼的儿子亮亮在家里等我们。

　　　　D. 沉鱼的家里有个院子⁷⁷。

　　(2) 我们在沉鱼的家里没有做什么?(　　)

　　　　A. 跟沉鱼的叔叔吃饭。　　　　B. 给鸡和马吃东西。

　　　　C. 做饭。　　　　　　　　　　D. 跟沉鱼的叔叔聊天。

　　(3) 关于那个村子²¹里的人,哪一句话是正确的?(　　)

　　　　A. 村子²¹里的人都不喜欢到别的地方去工作。

　　　　B. 村子²¹里的人跟以前一样多。

　　　　C. 村子²¹里的人种茶和种油菜²⁰。

　　　　D. 村子²¹里年轻人很多。

　　(4) 我、春雁、芳芳和两个孩子没有去做什么?(　　)

　　　　A. 去芳芳的家。

　　　　B. 去一个院子⁷⁷里看别人跳舞。

　　　　C. 在山上跟孩子们聊天和说故事。

　　　　D. 去村子²¹里的小学。

6. 山里的小学今天很热闹

　　根据故事选择正确答案。Select the correct answer for each of the questions.

　　(1) 春雁在学校上课,没有做哪一件事?(　　)

　　　　A. 给孩子们买礼物。

B. 把要做的事写在纸上。

C. 教孩子们一首英文歌。

D. 跟孩子们一起跳舞。

(2) 那天大家在学校没有做下面的哪个活动?(　　)

A. 老师和学生一起踢足球。

B. 村子[21]里的人跳舞。

C. 春雁给每个学生都买了新衣服。

D. 村里的人来看踢足球。

(3) 关于那个戴黑眼镜的人,下面哪一句话不对?(　　)

A. 他上小学的时候和芳芳是同学。

B. 芳芳请他讲话[91],他同意了。

C. 他举起两个手指[46],意思是给学校捐了二十万元。

D. 他在大城市里有一个很大的公司。

(4) 有一个瘦瘦的小女孩拿着糖果为什么不吃?(　　)

A. 因为她想把糖果拿回去给她弟弟吃。

B. 因为她不喜欢吃糖果。

C. 因为她不好意思在学校吃。

D. 因为她爷爷死了,她很难过。

7. 喜欢卖菜的外国学生

根据故事选择正确答案。Select the correct answer for each of the questions.

(1) 春雁和她的同学为什么去酒吧?(　　)

A. 因为春雁从江西回来很想见他们。

B. 因为那天是她二十一岁的生日,在美国二十一岁就可以喝酒了。

C. 因为他们喜欢喝酒。

D. 因为那个酒吧里外国人很多。

（2）春雁和她的同学为什么去那个菜市场³去帮别人卖东西？
（　　）

A. 因为他们要写一个关于中国城市和农村的报告。

B. 因为他们在那儿卖东西可以赚钱。

C. 因为他们跟我一样喜欢从农村来的人。

D. 因为那个菜市场³很热闹。

8. 不吃鱼了，吃水果

根据故事选择正确答案。Select the correct answer for each of the questions.

（1）下面哪一句话不对：

A. 春雁说，"另一个人也会等你十年"。另一个人指的是沉鱼。

B. 我和沉鱼可能比春雁大几岁。

C. 春雁希望我和沉鱼结婚。

D. 春雁不喜欢沉鱼。

（2）故事的最后，我为什么不吃鱼了，而吃水果？

A. 因为我觉得鱼没有水果好吃。

B. 因为立新以前说过我应该让沉鱼卖水果。

C. 因为我喜欢沉鱼，所以她卖什么，我就吃什么。

D. 因为沉鱼给了我一大包水果。

词汇练习 Vocabulary Exercise

选词填空 Fill in each blank with the most appropriate word.

1. 这儿有三个( )，( )在它们中间。

　　A. 菜市场³　　B. 小区⁵

2. 街上有很多小饭馆，还有( )自行车的( )。除了菜市场³，
　　别的地方都像( )一样，不太( )。

　　A. 屏幕⁹　B. 修理⁶　C. 真实⁷　D. 小摊⁴

3. 春雁是来了解网络和( )的。这些大电脑每天二十四个小时
　　都开着，( )像( )一样飞进来，飞出去。

　　A. 信息　B. 数据库²⁴　C. 蜜蜂²⁵

4. 那儿的桌子是用一个特别的( )做成的，上面放着一个漂亮
　　的小( )，还有木头³²做的( )。

　　A. 勺子³³　　B. 树根³⁰　　C. 茶壶³¹

5. 她拿出一小包茶，说这种茶叫( )，是她家附近的( )里
　　的。

　　A. 三清山³⁷　　B. 三清云雾茶³⁶

6. 有的丈夫和妻子在很远的( )工作，他们的孩子在( )跟
　　爷爷奶奶生活。这样的孩子叫( )。

　　A. 留守⁷⁴儿童　　B. 农村　　C. 大城市

7. 我看着那条河和落在河里的( )，想着( )的晚饭后，这儿
　　的天上都是漂亮的( )，一只( )在天上飞，多漂亮啊!

　　A. 鸟儿⁶⁵　　B. 云　　C. 晴天　　D. 小雨

综合理解 Global understanding

根据整篇故事选择正确的答案。Select the correct answer for each of the gapped sentences in the following passage.

我在上海一个IT[1]公司里工作，住在一个(a. 小区[5]　b. 村子[21])里。我在(a. 附近　b. 地铁站[2]旁边)的菜市场[3]里认识了一个卖鱼的女的，我的朋友叫她沉鱼。后来我又认识了来我们公司学习(a. 数据库[24]　b. 电脑)的美国学生王春雁。她虽然是美国人，但是出生在中国的江西省。她一岁多被美国爸爸妈妈(a. 收养[22]　b. 找到)，现在她二十岁，第一次来上海。她学过一点汉语，要来我们公司工作(a. 五个月　b. 半年)。

我也是一个从(a. 农村　b. 城市)来的人，(a. 不太喜欢　b. 很喜欢)上海这样的大城市。春雁虽然在美国长大，但是她(a. 一直　b. 从来)想去看看她出生的地方江西南昌。我陪她去了南昌，看她小时候住过的儿童福利院。我们还去看了南昌有名的滕王阁[57]。最后我们又去了沉鱼的家。

沉鱼家在山上的一个村子[21]里。那个村子[21]很像我小时候在(a. 农村　b. 城市)的家，所以到了沉鱼家里，我觉得好像回到了我自己的家。春雁一定也觉得她中国爸爸妈妈的家也是这个样子。来到这个地方，我们都觉得像是在自己的老家。我们跟沉鱼的妈妈、叔叔、好朋友芳芳，还有沉鱼的儿子和芳芳的女儿一起吃饭，然后去山上玩。春雁还在村子[21]里的小学给孩子们上了一次课。春雁是一个非常有意思的老师，她还给孩子们买了礼物。上完课我们又跟孩子和老师一起(a. 踢足球　b. 打篮球)，村子[21]里很多人都来看。那天大家都很高兴，有一个叫李哥的人还给学校(a. 捐　b. 送)了二十万元。村里的人和沉鱼的妈妈都非常喜欢春雁。沉鱼的妈妈还(a. 开玩笑　b. 认真地)说，她收养[22]春雁当[63]女儿。我觉得春雁找到了她在中国的家。

从江西回来以后，我和我的朋友立新，还有春雁的外国同学一起在酒吧里给春雁过生日。我还带春雁和她的同学去了我住的小区[5]附近的菜市场[3]。他们在菜市场[3]里帮别人卖菜,卖水果,也练习说汉语。他们在菜市场[3]里也见到了从农村来的人,(a. 了解 b. 知道)了中国的城市和农村。春雁也(a. 认识 b. 知道)了沉鱼,还帮她卖鱼。

我既喜欢春雁,也喜欢沉鱼。她们也喜欢我。最后春雁回美国去了。我(a. 决定 b. 不一定)跟沉鱼结婚,以后把春雁(a. 当[63] b. 收养[22])成我们的妹妹。

回答下列问题　Answer the following questions.

1. 故事里的"我"、春雁和沉鱼都有想做的事情,请说说每个人都想做什么。

2. "我"和春雁在沉鱼家的村子[21]里学到了什么?

2. "我"爱春雁吗?春雁爱"我"吗?为什么?

4. 沉鱼爱"我"吗?"我"爱沉鱼吗?为什么?

5. "我"以后会跟沉鱼结婚还是跟春雁结婚?为什么?

练习答案
Answer keys to the exercises

1. 从买鱼开始的故事
   (1) C　　(2) D　　(3) D　　(4) C

2. 公司里新来的女大学生
   (1) B　　(2) C　　(3) B　　(4) D

3. 这种茶只给最好的朋友喝
   (1) D　　(2) A　　(3) B　　(4) C

4. 去南昌找小时候的春雁
   (1) A　　(2) D　　(3) C　　(4) B

5. 在沉鱼的老家
   (1) C　　(2) C　　(3) C　　(4) A

6. 山里的小学今天很热闹
   (1) D　　(2) C　　(3) B　　(4) A

7. 喜欢卖菜的外国学生
   (1) B　　(2) A

8. 不吃鱼了，吃水果
   (1) D　　(2) C

词汇练习 Vocabulary Exercise

1. B   A

2. B   D   A   C

3. B   A   C

4. B   C   A

5. B   A

6. C   B   A

7. D   C   B   A

综合理解 Global understanding

　　我在上海一个IT[1]公司里工作,住在一个(a. 小区[5])里。我在(a. 附近)的菜市场[3]里认识了一个卖鱼的女的,我的朋友叫她沉鱼。后来我又认识了来我们公司学习(a. 数据库[24])的美国学生王春雁。她虽然是美国人,但是出生在中国的江西省。她一岁多被美国爸爸妈妈(a. 收养[22]),现在她二十岁,第一次来上海。她学过一点汉语,要来我们公司工作(a. 五个月)。

　　我也是一个从(a. 农村)来的人,(a. 不太喜欢)上海这样的大城市。春雁虽然在美国长大,但是她(a. 一直)想去看看她出生的地方江西南昌。我陪她去了南昌,看她小时候住过的儿童福利院。我们还去看了南昌有名的滕王阁[57]。最后我们又去了沉鱼的家。

　　沉鱼家在山上的一个村子[21]里。那个村子[21]很像我小时候在(a. 农村)的家,所以到了沉鱼家里,我觉得好像回到了我自己的家。春雁一定也觉得她中国爸爸妈妈的家也是这个样子。来到这个地方,我们都觉得像是在自己的老家。我们跟沉鱼的妈妈、叔叔、好朋友芳芳,还有沉鱼的儿子和芳芳的女儿一起吃饭,然后去山上玩。春雁还在村子[21]里的小学给孩子们上了一次课。春雁是一个非常有意思的老师,她还给孩子们买了礼物。上完课我们又跟孩子和老师一起(a. 踢足球),村子[21]里很多人都来看。那天大家都很高兴,有一个叫李哥的人还给学校(a. 捐)了二十万元。村里的人和沉鱼的妈妈都非常喜欢春雁。沉鱼的妈妈还(a. 开玩笑)说,她收养[22]春雁当[63]女儿。我觉得春雁找到了她在中国的家。

　　从江西回来以后,我和我的朋友立新,还有春雁的外国同学一起在酒吧里给春雁过生日。我还带春雁和她的同学去了我住的小区[5]附近的菜市场[3]。他们在菜市场[3]里帮别人卖菜,卖水果,也练习说汉语。他们在菜市场[3]里也见到了从农村来的人,(a. 了解)了中国的城市和农村。春雁也(a. 认识)了沉鱼,还帮她卖鱼。

　　我既喜欢春雁,也喜欢沉鱼。她们也喜欢我。最后春雁回美国去了。我(a. 决定)跟沉鱼结婚,以后把春雁(a. 当[63])成我们的妹妹。

回答下列问题　Answer the following questions.

1. "我"：我不喜欢上海，因为在上海我的生活没有意思[48]，每天都一样。我每天都花很多时间看电脑。我想离开上海。

   春雁：她想看看她小时候生活过的地方。她想看看中国，她也想知道自己是中国人还是美国人。

   沉鱼：她想在上海找到自己的梦[73]，想成功[43]，还想让她的孩子来上海上学。当然，也想找到一个爱她的人。

2. 我更了解沉鱼。因为我家也在农村，所以我觉得沉鱼的家很像我的家。

   春雁看到沉鱼的家，也好像看到了她在中国的家。她虽然没有说要找她的中国爸爸妈妈，但是很希望知道他们生活的样子。沉鱼的家让她明白了她的中国爸爸妈妈的生活的样子。

3. 有两种可能。

   (1) 对，我爱她，她也爱我。因为故事的最后一节说："我们拥抱[96]了一下，跟平常的拥抱[96]不太一样，有点长，有点紧。房子里除了蜜蜂[25]的声音，还有我们心跳的声音。"这里的拥抱[96]和"心跳的声音"表示爱。

   (2) 我们只是有点喜欢，并不爱，因为在故事第8节"我不吃鱼了，吃水果"里，我和春雁只是在开玩笑地说结婚的事。

4. 沉鱼爱我，我也爱沉鱼。因为在第3节里沉鱼请我喝茶时说"茶遇良朋一壶足[41]"。第5节里说"我明白了，那天沉鱼说'茶遇……一壶足'的时候，脸红了一下，那是因为她不好意思说'情人'这个词。现在，我觉得我的脸也是红的。"

5. 当然是跟沉鱼，因为故事的最后我改吃水果了。

本书练习由李延风编写

为所有中文学习者(包括华裔子弟)编写的

第一套系列化、成规模、原创性的大型分级
轻松泛读丛书

"汉语风"(*Chinese Breeze*)分级系列读物简介

"汉语风"(*Chinese Breeze*)是一套大型中文分级泛读系列丛书。这套丛书以"学习者通过轻松、广泛的阅读提高语言的熟练程度,培养语感,增强对中文的兴趣和学习自信心"为基本理念,根据难度分为8个等级,每一级6—8册,共近60册,每册8,000至30,000字。丛书的读者对象为中文水平从初级(大致掌握300个常用词)一直到高级(掌握3,000—4,500个常用词)的大学生和中学生(包括修美国AP课程的学生),以及其他中文学习者。

"汉语风"分级读物在设计和创作上有以下九个主要特点:

一、等级完备,方便选择。精心设计的8个语言等级,能满足不同程度的中文学习者的需要,使他们都能找到适合自己语言水平的读物。8个等级的读物所使用的基本词汇数目如下:

第1级:300 基本词	第5级:1,500 基本词
第2级:500 基本词	第6级:2,100 基本词
第3级:750 基本词	第7级:3,000 基本词
第4级:1,100 基本词	第8级:4,500 基本词

为了选择适合自己的读物,读者可以先看看读物封底的故事介绍,如果能读懂大意,说明有能力读那本读物。如果读不懂,说明那本读物对你太难,应选择低一级的。读懂故事介绍以后,再看一下书后的生词总表,如果大部分生词都认识,说明那本读物对你太容易,应试着阅读更高一级的读物。

二、题材广泛,随意选读。丛书的内容和话题是青少年学生所喜欢的侦探历险、情感恋爱、社会风情、传记写实、科幻恐怖、神话传说等。学习者可以根据自己的兴趣爱好进行选择,享受阅读的乐趣。

三、词汇实用,反复重现。各等级读物所选用的基础词语是该等级的学习者在中文交际中最需要最常用的。为研制"汉语风"各等级的基础词表,"汉语风"工程首先建立了两个语料库:一个是大规模的当代中文书面

语和口语语料库,一个是以世界上不同地区有代表性的40余套中文教材为基础的教材语言库。然后根据不同的交际语域和使用语体对语料样本进行分层标注,再根据语言学习的基本阶程对语料样本分别进行分层统计和综合统计,最后得出符合不同学习阶段需要的不同的词汇使用度表,以此作为"汉语风"等级词表的基础。此外,"汉语风"等级词表还参考了美国、英国等国和中国大陆、台湾、香港等地所建的10余个当代中文语料库的词语统计结果。以全新的理念和方法研制的"汉语风"分级基础词表,力求既具有较高的交际实用性,也能与学生所用的教材保持高度的相关性。此外,"汉语风"的各级基础词语在读物中都通过不同的语境反复出现,以巩固记忆,促进语言的学习。

四、易读易懂,生词率低。"汉语风"严格控制读物的词汇分布、语法难度、情节开展和文化负荷,使读物易读易懂。在较初级的读物中,生词的密度严格控制在不构成理解障碍的1.5%到2%之间,而且每个生词(本级基础词语之外的词)在一本读物中初次出现的当页用脚注做出简明注释,并在以后每次出现时都用相同的索引序号进行通篇索引,篇末还附有生词表,以方便学生查找,帮助理解。

五、作家原创,情节有趣。"汉语风"的故事以原创作品为主,多数读物由专业作家为本套丛书专门创作。各篇读物力求故事新颖有趣,情节符合中文学习者的阅读兴趣。丛书中也包括少量改写的作品,改写也由专业作家进行,改写的原作一般都特点鲜明、故事性强,通过改写降低语言难度,使之适合该等级读者阅读。

六、语言自然、鲜活。读物以真实自然的语言写作,不仅避免了一般中文教材语言的枯燥和"教师腔",还力求鲜活地道。

七、插图丰富,版式清新。读物在文本中配有丰富的、与情节内容自然融合的插图,既帮助理解,也刺激阅读。读物的版式设计清新大方,富有情趣。

八、练习形式多样,附有习题答案。读物设计了不同形式的练习以促进学习者对读物的多层次理解;所有习题都在书后附有答案,以方便查对,利于学习。

九、配有录音,两种语速选择。各册读物所附的故事录音(MP3格式),有正常语速和慢速两种语速选择,学习者可以通过听的方式轻松学习、享受听故事的愉悦。故事录音可通过扫描封底的二维码获得,也可通过网址http://www.pup.cn/dl/newsmore.cfm?sSnom=d203下载。

ABOUT *Hànyǔ Fēng* (*Chinese Breeze*)

Hànyǔ Fēng (*Chinese Breeze*) is a large and innovative Chinese graded reader series which offers nearly 60 titles of enjoyable stories at eight language levels. It is designed for college and secondary school Chinese language learners from beginning to advanced levels (including AP Chinese students), offering them a new opportunity to read for pleasure and simultaneously developing real fluency, building confidence, and increasing motivation for Chinese learning. *Hànyǔ Fēng* has the following main features:

☆ Eight carefully graded levels increasing from 8,000 to 30,000 characters in length to suit the reading competence of first through fourth-year Chinese students:

Level 1: 300 base words	Level 5: 1,500 base words
Level 2: 500 base words	Level 6: 2,100 base words
Level 3: 750 base words	Level 7: 3,000 base words
Level 4: 1,100 base words	Level 8: 4,500 base words

To check if a reader is at one's reading level, a learner can first try to read the introduction of the story on the back cover. If the introduction is comprehensible, the leaner will be able to understand the story. Otherwise the learner should start from a lower level reader. To check whether a reader is too easy, the learner can skim the Vocabulary (new words) Index at the end of the text. If most of the words on the new word list are familiar to the learner, then she/ he should try a higher level reader.

☆ Wide choice of topics, including detective, adventure, romance, fantasy, science fiction, society, biography, mythology, horror, etc. to meet the diverse interests of both adult and young adult learners.

☆ Careful selection of the most useful vocabulary for real life communication in modern standard Chinese. The base vocabulary used for writing each level was generated from sophisticated computational analyses of very large written and spoken Chinese corpora as well as a language databank of over 40 commonly used or representative Chinese textbooks in different countries.

☆ Controlled distribution of vocabulary and grammar as well as the deployment of story plots and cultural references for easy reading and efficient learning, and highly recycled base words in various contexts at each level to maximize language development.

☆ Easy to understand, low new word density, and convenient new word glosses and indexes. In lower level readers, new word density is strictly limited to 1.5% to 2%. All new words are conveniently glossed with footnotes upon first appearance and also fully indexed throughout the texts as well as at the end of the text.

☆ Mostly original stories providing fresh and exciting material for Chinese learners (and even native Chinese speakers).

☆ Authentic and engaging language crafted by professional writers teamed with pedagogical experts.

☆ Fully illustrated texts with appealing layouts that facilitate understanding and increase enjoyment.

☆ Including a variety of activities to stimulate students' interaction with the text and answer keys to help check for detailed and global understanding.

☆ Audio files in MP3 format with two speed choices (normal and slow) accompanying each title for convenient auditory learning. Scan the QR code on the backcover, or visit the website http://www.pup.cn/dl/newsmore.cfm?sSnom=d203 to download the audio files.

"汉语风"系列读物其他分册
Other *Chinese Breeze* titles

    "汉语风"全套共8级近60册,自2007年11月起由北京大学出版社陆续出版。下面是已经出版或近期即将出版的各册书目。请访问北京大学出版社网站(www.pup.cn)关注最新的出版动态。

    Hànyǔ Fēng (*Chinese Breeze*) series consists of nearly 60 titles at eight language levels. They have been published in succession since November 2007 by Peking University Press. For most recently released titles, please visit the Peking University Press website at www.pup.cn.

第1级:300词级
Level 1：300 Word Level

错,错,错!
Wrong, Wrong, Wrong!

两个想上天的孩子
Two Children Seeking the Joy Bridge

我一定要找到她……
I Really Want to Find Her...

我可以请你跳舞吗?
Can I Dance with You?

向左向右
Left and Right: The Conjoined Brothers

你最喜欢谁?
Whom Do You Like More?

画皮
The Painted Skin

留在中国的月亮石雕
The Moon Sculpture Left Behind

朋友
Friends

第4级：1,100词级
Level 4: 1,100 Word Level

好狗维克
Vick the Good Dog

维克以前是一只非常有名的军犬(jūnquǎn: military dog)。有一天，它没有错，却被人用棍子(gùnzi: stick)重重地打了。维克出现了严重的心理(xīnlǐ: mentality)问题，不能再当军犬了。我们的缉毒(jīdú: to crack down on narcotic trafficking)犬(quǎn: dog)训导(xùndǎo: to train)中心虽然接受了它，但很多人不喜欢它，只有我不知道为什么，一下就喜欢上了它，我相信它一定行！我们一起努力练习，成了最好的朋友。在缉毒工作中，维克干得很漂亮，成了一只最棒的缉毒犬！不过，想起当时经过的那些困难，还有女朋友差一点儿因为维克离开我，我是又想哭，又想笑……

Vick used to be a famous military dog. One day, for no apparent reason, someone attacked and gravely wounded him with a stick. Due to the resulting emotional trauma, he was discharged. Now, he works with us at the Drug-Sniffing Dog Training Center. My coworkers don't like him, but after training him, I've found him to be a brilliant drug-sniffing dog, and we've become the best of friends. Although, when I think back on when we trained together, and to that time my girlfriend left me, I don't know whether to laugh or cry...

两件红衬衫
Two Red Shirts

万山县"手拉手"(Shǒu-Lā-Shǒu: Hand-in-Hand)办公室接到一封北京来信,信上说要出一笔钱,帮助一个家里困难的孩子读书,到她上大学。但是,信里提出了几个奇怪的条件:被帮助的孩子生日必须是1990年5月4日,必须是女孩,必须住在周围开满茶花的地方,还有,不能让她和家人知道谁帮助了她们……

方小草的条件跟信里的要求正好一样,她可以用这笔钱上学,她还接到那人寄来的一个大包,里面除了笔、本子(běnzi: notebook)、书,还有一件好看的红衬衫。

12年以后,方小草考(kǎo: to test, to examine)上了北京的大学,她要到北京去找那位好心人(hǎoxīnrén: good Samaritan, good-hearted people)。但是,那个人的情况她一点儿都不知道,再说,中国这12年变化这么大……她能找到吗?

The "Hand-in-Hand" Office of Wanshan County received an odd letter from Beijing. The author said that she would like to sponsor the education of a child in poverty through university. Her requirements: the child had to be a girl, be born on May 4, 1990, and her home be surrounded by camellias in bloom. Furthermore, the office was not allowed to let her or her family know the identity of the benefactor. How strange...

Fang Xiaocao, coincidentally, met all of these requirements. In addition to paying for her attendance, the anonymous person sent her a package containing school supplies, as well as a nice red shirt.

Twelve years later, Xiaocao was admitted to a university in Beijing. She wanted to use the opportunity to find the mysterious good Samaritan. However, she knew nothing about her; China, too, had changed greatly in those twelve years. Would she find her?

竞争对手

The Competitor

方新开发的中文软件在北科电脑公司的支持下正卖得好,他的前妻代表美国一家公司回国了。她要求跟他合作,说可以出很多钱。方新没有答应。

那可是一家非常有名的大公司啊,他为什么不答应呢?

很快,工作上发生了一些非常奇怪的事,方新的前妻还把事情闹到了法院……

这时候,一直很爱方新的妻子对他的态度也发生了变化,方新感到工作和生活都很困难。

那么,他是怎么解决这些困难的? 他的前妻和妻子后来怎么样了……?

Under the auspices of the Beike Corporation, Fang Xin's software had met with great success in the Chinese market. It was at this time that his ex-wife Xie Hong returned from the U.S., with an investment and partnership offer from her company in tow. Despite knowing the fame and power of the company behind her, Fang Xin refused. Soon, piece, by piece, his life fell apart. First a lawsuit from Xie Hong, then a growing mistrust from his wife Xiaoyue. Fang Xin had little choice but to claw his way out of the slow hell his life had become.